내과 의사가 써 내려간

아는 만큼 보이는

대한민국 정치 이야기

내과 의사가 써 내려간
아는 만큼 보이는 대한민국 정치 이야기

1판 1쇄 발행 2024년 03월 29일

저자 이정호

편집 김다인　**마케팅·지원** 김혜지

펴낸곳 필립미디어　**펴낸이** 이두용
이메일 pillipmedia@gmail.com　**홈페이지** pillip.kr

만든곳 하움출판사
이메일 haum1000@naver.com　**홈페이지** haum.kr

ISBN 979-11-6440-554-1(03340)

'미디어로 이기는 비즈니스 습관'
필립미디어는 다양한 미디어콘텐츠로 여러분의 오감을 채우겠습니다.
파본은 구입처에서 교환해 드립니다.

내과 의사가 써 내려간
아는 만큼 보이는

이정호 지음

Korean politics story

대 한 민 국
정치 이야기

헌법 제1조에서 우리나라는 '민주공화국'이라고 한다. 그런데 민주 국가가 맞나 싶다. 민(民)이 주인이 아니라 소수의 권익을 위한 국가같 이 느껴질 때가 많기 때문이다. 내가 사랑하는 대한민국이 자살률 1위, 노인빈곤율 1위, 사법 신뢰도 꼴찌다. 사랑하는 사람이 화염에 싸여있 는 듯하여 이들을 돕고 싶은 간절한 마음으로 나는 이 글을 쓴다.

우리나라는 여전히 일제강점기와 군사 독재 체제의 흔적이 남아있 다. 친일, 군사 독재 등 기득권 수구세력뿐 아니라, 공직자 관료, 국회 의원 등 위정자들이 국민을 힘들게 한다. 이들은 권력을 노리고 편 가 르기로 국민을 분열시켜 왔다. 입으로는 국민을 위한다고 하면서, 뇌물 을 받고 사리사욕을 위해 이웃을 배신하고 나라의 운명에 무관심한 듯 하다.

더 암담한 것은 위정자뿐 아니라 민중의 마음도 봉건적, 전제적 전 통 속에 매몰되어 있다는 점이다. 오랜 세월 무언가에 길들어져 있는 민초는 흔히 무엇이 잘못되어 있는지 깨닫지 못한다. 그 중 사리 분별 이 가능한 이들도 기득권을 지키기 위해 침묵한다.

게다가 우리를 더욱 어렵게 하는 것은 이른바 지식인으로 자처하는 학자들이다. 학자들이 이론을 쉽게 해석하여 민초의 눈높이에 맞도록 정리해서 제시하면 좋겠다. 그러나 흔히 학자들은 자신도 다 모르는 어려운 말, 앞뒤가 안 맞는 말, 급기야 아무 도움 안 되는 비현실적 원론, 목적성을 가진 왜곡된 주장을 늘어놓기 일쑤다. 그래서 전해 듣는 민초의 생각에는 긴가민가 애매하기만 하다. 산 경험이나 상식으로 그런 것이 아닌 것 같은데, 그렇다고 우기기 때문이다. 언론도 편파 보도, 사실 왜곡을 일삼으며, 민초의 판단을 흐리게 한다.

난국은 총체적이다. 이 난국을 우리는 어떻게 헤쳐나가야 하나? 호랑이 굴에 물려가도 정신만 차리면 살길이 있다고 한다. 사방에 믿을 것이라고는 보이지 않는 현실, 우선 상식에서 출발할 필요가 있겠다. 높은 지위, 어려운 논리가 아니라 모든 것을 풀 수 있는 실마리를 단순한 상식에서 찾도록 하자.

권력이 오·남용되고, 공직자가 부패하면, 바로 저항하고 벌하고 쫓아내면 된다. 명색이 민주국가라고 하면서, 시민에게 그 같은 권리를 시민이 실천할 수 있는 절차가 없다면, 그것은 가짜 민주국가이다. 잘못한 검사는 검찰에서, 잘못한 판사는 법원에서 벌하라고 하니, 팔이 안으로 굽어 처벌이 안 된다. 작년에 판사가 고소당한 건수가 약 1만 건인데, 기소 0건이 이런 사실을 증명한다. 국회에 탄핵권이 있으나, 초록은 동색이라고 결과는 초라하다.

최근의 예를 보면 재판을 잘못한 임성근 판사와 이상민 행자부 장관을 국민의 대표인 국회에서 탄핵했다. 하지만 헌법재판소가 이를 부결시켰다. 헌법재판소가 국회의 권한 위에 군림한 것이다. 국회의원의 신뢰도 바닥이다. 사실 지금까지 국민을 위해 헌신하며 제대로 일한 국회의원을 찾는 것도 힘들 지경이다. 자격이 있는 사람이 국회의원이 되어야 한다.

또 시민이 주권을 되찾는 방법은 입법발의권과 함께 국민투표에 부칠 수 있는 부의권을 갖는 것으로부터 시작해야겠다. 입법을 국회에만 맡겨놓으니, 번번이 묵혀 썩히다가 폐기 처분하고 입법을 하지 않는다. 국민 발안제, 국민의 공천권 행사, 국민 소환제이다. 국민투표제, 중요한 사안마다, 국민 발안제는 국민이 직접 특정 법안 등을 제안하는 것이다.

기회균등하고 억울한 사람이 없는 나라를 건설하기 위해서는 위정자, 지도자 등을 믿고 있어서는 안 된다. 민초인 국민이 직접 나서서 구해야 한다. 지금까지 속고도 다시 남을 믿고 있다가는, 대책이 없다. 스스로의 몫을 찾기 위해 계산하고, 저항하고 수고하고 피를 흘릴 각오를 하지 않으면, 얻지 못할 것이다. 무엇을 어떻게 할 것인가의 각론은 독선이 아니라, 번번이 모두의 양해를 거쳐 정해야 할 것이라는 점에 유의해야 한다.

'통일할 것인가'의 여부, 그렇다면 '어떤 방식으로 할 것인가' 등 상황과 의견을 수렴하면서 융통성 있게 이루어 나아가야한다. 무조건 통일부터 이루어야 한다고 강요하는 것도 독선이다. 급할수록 돌아가고, 모두의 지혜와 양해를 구하는 민주적 절차부터 세워나갈 필요가 있겠다. 우리에게 부족한 것은 타인에 대한 양해이며, 그 양해는 설사 상대가 분명 잘못 판단하는 경우일지라도 이루어져야 한다. 옳고 그름의 여부를 떠나 자기 것을 고집하는 순간, 이 사회는 독선과 독재가 난무하는 군상을 제공하게 될 것이기 때문이다.

이 책의 발간에 앞서 최자영 교수, 강종일 박사, 장하준 교수, 이병수 교수, 오세원 박사, 진용훈 목사, 박남숙 목사, 이규천 장로, 이이란 권사, 이두용 대표, 저의 사랑하는 딸 평화와 승리, 전호균, 조용혁, 장세은, 박재현 박사, 윤태룡 교수, 최양근 교수, 박찬선, 송세준 대표, 주정관 교수, 양선영 선생, 김문영 소장, 박명준 대표께 감사를 드린다.

* 이 책에 쓰인 '서민'은 특정 도시의 주민을 가리키는 게 아니라 사전적 의미로 쓰였습니다. [시민 : 국가 사회의 일원으로서 그 나라 헌법에 의한 모든 권리와 의무를 가지는 자유민]

목차

민초의 감시, 처벌권을 가져야 민주국가다.

국민투표발의권 및 국민투표권을 국민 민초에게

　헌법 제1조 제1항, '대한민국은 민주공화국이다', 제2항은 '대한민국의 주권은 국민에게 있고 모든 권력은 국민으로 부터 나온다'이다. '국민주권주의'는 그냥 권력이 어디서 나온다는 사실뿐 아니라, 국가의사를 최종적으로 결정할 수 있는 최고의 권력이 국민에게 있다는 사실을 말한다. 그래서 헌법 각론에서는 이 국민주권 원칙이 구체적으로 어떻게 행사되는가를 밝힐 필요가 있다. 그러나 현행 헌법은 거의 대의제 일색으로 구성되어 있고, 국민은 그 공직자에 대한 감시, 처벌권조차 거의 없다.

　현재 국민투표에 부칠 수 있는 발의권(국민투표부의권)은 대통령에게만 있다. 국민은 물론 명색이 국민을 대표한다고 하는 국회에서도 국민투표부의권이 없다. 지방자치법 등에서 규정하고 있는 주민투표 발의권과 투표제도가 지방주민들에게 있으나, 그도 진입 문턱을 넘어서 발의에 요구되는 서명인 수(사안에 따라 유권자의 10-20%)가 많고, 어렵사리 투표가 이루어진 후에도 투표율이 유권자 33%에 미치지 못하면, 개봉조차 하지 못한다. 이런 상황에서 지방 주민투표조차 거의 사문화(死文化)하여, 지방 공직자 비리를 감시 척결할 수 있는 현실적 대안이 되지 못하고 있다.

이 같은 현실은 직접 민주정치의 나라로 알려진 스위스와는 사뭇 다르다. 스위스에서는 연방의회에서 통과된 입법도 국민투표로 취소할 수 있다. 거기에 요구되는 서명인 수가 5만 명(유권자의 약 1.5%)이며, 유효투표율 제도도 없다고 한다. 이렇듯 스위스 국민이 쉽게 국민투표에 부칠 수 있는 여건이 되지만, 실제로 취소된 법률은 전체의 약 1.5% 정도에 불과하다고 한다. 연방의회 위에 국민이 칼자루를 들고 감시를 하니, 미리 알아서 조심하는 탓이다.

개헌 발의에는 10만 명만 서명하면 된다.
우리나라에서도 국회는 물론 국민이 국민투표 발의권과 국민투표권을 아울러 가져야 한다. 국민은 행정, 입법, 사법 등 광범한 분야에 걸쳐서 감독할 권리가 있다.

국민투표는 간접민주주의인 '대의제'의 단점을 보완하기 위하여 현대국가가 채택하고 있는 직접민주주의 정치제도의 한 형태이다. 국가의 입법이나 중요정책에 대하여 국민이 이의가 있을 때, 국민의 찬성 여부를 확인하는 절차이다.

국민투표의 유형으로는 국민거부, 조정적 국민투표, 국민표결, 국민발안, 상의적 국민투표, 의회해산 국민투표, 국민소환, 그리고 신임투표 등이 있다.

'국민거부'는 하나의 법률이 국회에서 가결되어 공포된 뒤에 일정 수의 국민이 반대 의사를 표시하면 그 법률의 존. 폐 여부를 결정하기 위하여 시행하는 투표이다.

조정적 국민투표는 의회에서 통과된 법안이 정부의 견해와 서로 다를 때, 또는 국회의원의 3분의 2 이상이 대통령의 해임을 요구할 때, 조정을 위하여 실시하는 투표이다.

우리나라의 경우는 모든 사안이 거대 여야의 당리당략에 의해서 결정되며, 어렵사리 국회를 통과해도 9명의 헌법재판소가 국회 위에 군림하여 국회를 하부 기관으로 치부하고 있다. 이것은 국민의 대표 위에 9명의 사법관료가 똬리를 틀고 있는 형국으로, 민주가 아니라 과두정치의 전형이다. 국민의 대표인 국회가 탄핵한 것을 헌법재판소가 다시 결정하는 것은 국민이 주인이 아니라는 것이다. 대통령의 해임, 비리 혐의 공직자의 소환, 국회에서 결정된 모든 사안에 대해 문제가 있다고 판단되면, 궁극적으로 헌법재판소가 아니라 국민투표로 결정하여야 한다.

또 국회에서 결정된 모든 사안, 남과 북의 관계에 관한결정, 외교적인 문제, 계엄령 선포, 국회의원의 이해가 걸린 사안, 국민 생활과 연결되는 연금법 개정, 행정수도를 옮기는 문제, 기본소득, 팬데믹으로 인한 국가 지원, 토지공개념 등도 국민투표로 결정해야 한다.

　국민투표가 제도화되면, 추우나 더울 때나 거리로 나와서 촛불을 들고 데모하는 수고를 할 필요 없어진다. 국가간 외교문제, 위안부 문제, 첨예한 사안이 있을 때마다 국민투표로 결정하면 되기 때문이다.

　일각에서는 국민투표의 역기능에 대한 우려가 제기되고 있다. 집권자의 권력을 강화하는 데 악용될 수 있다거나, 선전과 선동으로 변질될 우려가 있다거나, 많은 경비와 시간이 소비된다는 것 등의 염려이다. 이 같은 염려는 구더기 무서워 장 못 담그는 꼴이다. 결과가 왜곡 변질되어 민심과 다르다고 생각이 되는 순간 재투표하면 된다. 그러면, 애초에 그런 장난을 치지 않게 될 것이기 때문이다. 경비가 얼마나 소요되든 정확성을 담보하는 데 걸림돌이 되지 못한다.

　국민발안은 일정 수의 국민에게 발의권을 인정하고 이들이 발의한 사항을 국민투표에 부쳐 결정하는 것이다.

　국민발안은 헌법개정 발의, 입법사항 발의 등이다.

　상의적 국민투표는 중요한 안건이나 특수한 안건에 대하여 결정하기 전에 미리 국민의 의사를 묻는 투표이다.

　의회해산 국민투표는 국가원수의 요청 또는 국민발안으로 의회를 해산하기 위하여 시행하는 투표이다. 신임투표는 영토의 병합, 국민이나 주민의 귀속 문제를 결정하거나 통치자가 자기 권력의 정당성을 얻기 위하여 실시하는 국민투표 제도이다.

국민소환은 공직에 있는 자를 임기 전에 국민투표에 부쳐 해임하는 제도이다. 그러나 이 법은 숫자를 너무 많이 정하여 흉내만 내고 사용하지 못하게 만들었다. 위에서 말한 대로 유권자의 1.5%가 서명하면 발의되고 찬성이 많으면 해임할 수 있게 해야 된다.

투표나 개표 방법으로 전자투표가 있으나, 이는 해킹으로 조작될 가능성이 현실적으로 증가하고 있으므로 피하는 것이 좋겠다. 실제로 유럽 선진의 많은 나라가 아예 전자투표를 도입하지 않거나, 도입했다가도 다시 수 개표로 돌아간 선례가 있다. 비용과 시간이 들어도 투표 결과만큼은 정확하게 하는 것이 선거 비리를 사전에 방지하는 왕도이다.

레퍼렌덤(referendum)과 플레비시트(plebiscite)
국민투표는 흔히 레퍼렌덤(referendum)과 플레비시트(plebiscite)로 구분한다. 전자는 시민이 능동적으로 발안에 참가하는 것이고, 후자는 수동적으로 제시된 선택지에 투표하는 것이다.

다시 말하면, 레퍼렌덤은 직접민주주의를 구현하는 제도로서 헌법이 국민투표 대상으로 정한 국가의 일정한 사항에 대하여 국민이 직접 국가의사를 결정하는 투표이다.
이에 반하여, 플레비시트는 이러한 법적 효과가 발생하지 아니하고 단지 공권력 주체에 대하여 국민의 의사를 확인시켜주는 데 불과하거나, 자문적인 성격을 가질 뿐이다.

계속 집권 여부, 특정 정책에 대한 임의적이고 신임 투표적인 국민 결정이다.

국민이여, '대의제'란 미명하에 빼앗긴 주권과 정치적 발언권을 되찾자.

배가 침몰하는데도 위정자들은 민초에게 가만히 있으라고 한다

정치는 누가 해야 하는가?

시민(나라의 주인)이 해야 한다. 그렇게 하려면 먼저 중·고등학교에서 법과 정치에 대한 교육과목이 있어야 하고 당연히 교사의 정치 참여가 있어야 한다.

현 야당(더불어민주당) 대표 이재명에 따르면, "정치는 위정자들이 하는 것 같지만, 사실은 국민이 하는 것"이라고 한다. 그러나 이것은 수사(修辭)에 그칠 뿐, 구체적으로 국민이 어떻게 정치적 발언권을 행사할 것인지 관련하여 대안이 없다.

'대의제'라는 미명하에, 선출직, 임명직 공직자들이 권력을 행사하고 있고, 그 권력의 오남용에 대한 견제 장치조차 변변히 마련된 것이 없기 때문이다.

우리나라에는 이상한 '겸양의 미덕'이 존재한다. 시민운동 하는 이들은 정치하면 안 된다는 그런 겸양심이다. 이런 '미덕'이 시민운동 하는 이들의 내면에 일상화 내지 상식화되어 있다. 윤석열 정부 들어서서 벌어지는 비상식적 행태에 격분하여, 이런 '겸양의 미덕'이 홀연히 사라진 듯하기도 하다. 너도나도 거리로 쫓아 나오는 이들 중에는 시민운동 하던 이들도 있기 때문이다.

시민은 정치하면 안 되나? 시민의 장치 참여는 선택이 아니라 필수이다. 문제는 초등, 중등 교육과정에서 장차 정치적 시민으로서의 자질 함양의 교육에 힘쓰지 않을 뿐만 아니라, 오히려 방해하는 것 같다. 정치적 시민은 갑자기 탄생되는 것이 아니다. 교육환경, 사회적 환경, 집안 부모들의 경향성 등이 어우러져 만들어지는 것이다. 그런데 이 모든 것이 부정적이다.

우선 교육에서 중학교, 고등학교에서 민주시민이 알아야 할 기본지식으로서 법학을 가르치지 않는다. 법학은 법학자가 해야 하는 것이 아니라, 시민이 주인 노릇을 하려면 스스로 알아야 한다. 그러자면, 기본으로 헌법, 형법, 민법의 핵심을 중등교육에서 가르칠 필요가 있다. 한 예로 독일에서는 중등교육에서 이 세 가지 법의 핵심을 배우도록 교과과정이 구성되어 있다. 시민 상호간은 물론이고, 국가의 공권력이 부당하게 행사될 때는 누가 그것을 저지할 것인가? 시민들이 나서야 하고, 공권력에 의해 침해받은 권리에 대해 저항해야 한다. 그러자면, 어떻게 저항할 것인가의 절차를 알고 있어야 한다.

공직자는 스스로 삼가지 않는 경향이 있다. 공직자의 권력 오남용에 한계를 정하는 것은 시민들의 눈초리와 질책이다. 그런 점에서 권력이 부패하면, 그것은 오롯이 시민의 책임이다. 권력자를 나무라기 전에, 그 부패를 다소간 묵인하고 저항에 나서지 않고 묵인한 책임이 사회 구성원 각자에게 돌아오기 때문이다.

현 윤석열 정부처럼 법치하겠다고 하면서, 그 법치의 주체가 정부 권력, 그리고 법치의 대상을 국민인 것처럼 말하는 것은 법치의 개념을 반대로 적용한 것이다. 법치란 원래 공직자, 권력자의 권력 오남용을 경계하여, 그들 자신이 그 법을 지키라고 하는 개념이기 때문이다. 법은 최소한의 행위 준칙을 설정하는 것이기 때문에, 그 최소한의 규범으로는 정치를 할 수가 없다. 정치는 법의 영역 바깥에, 그 법을 초월하여 형성되는 능동적 행위 영역에 속한다.

정부의 법치는 원래 시민 자율의 영역을 침범해서는 안 된다. 이것을 정부의 보충성 원칙이라고 한다. 그런데 느닷없이 정부가 나서서, 마약사범 단속하겠다고 축제의 이태원에 마약사범 검거단을 투입하거나, 노사 관계를 '정상화' 한다고 하면서, 노사 관계에 능동적으로 개입하여 노동조합을 폭도로 규정한다든가 하는 것은 보충성 원칙을 벗어난 것이다. 정부 자체가 행사해야 할 권력의 경계를 벗어난 것이고, 그것은 권력자에게 씌워진 한계로서의 '법치'의 개념을 어긴 것이다.

정부가 법 적용의 주체와 대상을 이렇듯 반대로 적용하는 것은, 정부의 월권을 탓하기 전에, 시민의 몰지각과 무관심 때문이라는 점을 지적할 필요가 있다. '법치'가 무엇인지 그 자체에 대한 소양이 없기 때문이다. 그것은 중등교육의 허상을 적나라하게 보여준다. 중등교육은 대학 입시를 위한 준비과정이 아니라, 그 자체로서 민주시민으로서 기본적 자질을 함양하는 곳이다. 대학은 선택사항이지만, 고등학교까지의 중등교육은 의무과정이다. 의무교육이란 민주시민으로서 살아가는 데 필요한 과정을 습득하는 곳이다.

현재로서 우리나라에서는 학생들의 정치에 대한 관심을 금기시하는 경향이 있다. 그래서 교사들까지도 정치적 활동을 금지한다. 학교에서 정치적 주제를 다루는 것 자체를 금기시한다. 이런 환경은 정작 민주시민으로 육성되어야 할 미래의 싹이 오히려 정치에 대해 무관심하도록 조장한다. 이 같은 한국의 비정치적 교육환경은 정치에 무관심한 시민을 길러내는 제조기이다. 시민을 수동적인 존재로 만드는 이 같은 교육은 멀리 일본 식민 지배의 잔재이며, 그 잔재는 연이은 독재정권을 통해 더욱 공고하게 다져져 왔다.

이제 시민이 정치적 존재로 거듭날 때가 되었다. 그것은 초, 중등교육에서부터 시작되어야 하고, 민주 시민으로서 기본적 자질로서 헌법, 형법, 민법에 대한 이해로부터 시작되어야 하겠다. 그 법은 정부 권력의 월권과 독재화를 막는 장치일 뿐, 정부가 시민의 행동을 제약, 압박하는 도구가 아니라는 것, 그래서 시민은 오히려 법치로서 정부 권력을 견제할 수 있다는 것, 그리고 정치의 중심은 위정자에 우선하여 시민 자신의 기호에 따라 법안, 정책 등을 발안하고 국민투표를 통해 결정할 수 있어야 한다는 사실을 깨달을 때가 되었다.

시민이여, '대의제'란 미명하에 빼앗긴 주권과 정치적 발언권을 되찾도록 하자.

배가 침몰하는 데도 선실에 가만히 앉아 있으라고 한다면, 그 선장의 말을 곧이듣지 않아야 한다. 각자도생, 스스로 깨쳐서 갑판으로 올라와 구명보트를 입고 바다로 뛰어내려야 할 것이다.

돈으로 정치하는
관행 고쳐야 한다.

정당공천권을 둘러싼 뒷거래

    기존의 정당은 여야 가릴 것 없이 선출직을 공천할 때 거금을 요구한다는 말들이 자자하다. 공천받아 출마하는 데 돈이 든다는 말이다. 당선 가능성이 높은 지역일수록 광역 시, 도, 기초 시, 군, 구의원 등을 막론하고 더 많은 돈이 들어간다고 한다. 돈만 있으면 되는 것도 아니고 줄도 잘 서야 한단다. 돈거래가 드러나면 안 되기 때문이라고 한다. 그래서 사실이 밝혀지는 확률이 낮지만, 공천 뒷거래는 모든 시민이 알고 있는 공공연한 비밀이라 한다.

    돈을 내고 정치인이 되려는 이는 명예를 얻거나 사업의 이권을 챙기기 위해서 하는 경우이다. 정치하려는 동기와 목적 자체가 공익이 아니라 사리를 우선한다는 말이다. 이렇게 당선된 이들은 투자한 본전을 뽑고 더욱 이권을 챙길 수밖에 없다. 선출되어 갖가지 특권을 한번 맛본 정치인들은 다시 공천받기 위해 윗사람 눈치 보면서 거수기 노릇하고 자신들의 본분을 하지 않는다.

    게다가 국회에서는 국회의원이 중심이 되어 입법하는 것이 아니라, 거기에 행정공무원인 전문위원이 있어 실권을 행사한다고 한다. 국정

감사나 예산 편성할 때 무슨 부탁할 것이 있으면, 국회의원이 아니라 전문위원에게 부탁하는 실정이라고도 한다.

　표창원 전 국회의원은 거수기('손을 드는 기계'라는 뜻으로 어떤 의견에 대해 별 반응이 없다가 남이 시키는 대로 손드는 사람) 노릇만 하는 사실을 개탄하여 불출마를 선언했다. 표창원은 자진하여 불출마했으나, 제도적으로 재선에 출마하지 못하도록 하거나 연속 2회까지만 출마할 수 있게 제한할 필요가 있겠다. 그러면, 다음 공천을 바라서 눈치보는　일은 적어질 것이고, 또 다선 의원이 되어 권력을 사리에 이용하려 하지도 않을 것이기 때문이다. 4년 한 번의 임기를 위하여 자기 생업을 포기하고 또 거금을 들여 공천받아 출마하려고 하는 이는 많지 않을 것으로 보인다.

　시민은 주권과 정치를 대의제 위정자에게 빼앗겼다. 무관심과 자진 반납으로 위정자는 물론 언론, 검찰, 판사, 재벌, 대형 법률회사(로펌)에게 빼앗긴 것이다. 우리 자신의 무관심으로 빼앗긴 주권이 이들의 밥이 되었다. 시민들은 검찰 수사나 재판이 명백히 잘못되었을 경우라도, 이들을 처벌할 수가 없다. 이 같은 사법관료 공화국은 독일의 풍경과는 아주 다르다. 독일의 연방헌법재판소는 각 주의 대법원을 거쳐 올라오는 잘못된 판결을 검토하여 판사를 벌한다. 통계에 따르면, 판사의 13%가 재판을 잘못해서 벌을 받는다고 한다. (최자영, 《거짓말공화국》에서 인용) 공직자를 벌하지 못 하는 시민은 민주국가의 주인이 아니다.

　이 같은 그릇된 관행을 보면서도 국회에서는 고칠 생각을 하지 않는다. 꼭 필요한 입법은 관심이 없다. 이것은 국회뿐 아니라 시민 스스

로가 아예 자각하지 못하거나, 알고도 비겁하게 침묵하고 있기 때문이
다. 그러고 보니 위정자만 나무랄 것이 못 되고, 시민이 다 그 나물에
그 밥, 한통속이다.

시민은 자기구조뿐 아니라 타인 구조를 통해 서로 도와줄 수 있어야 한다.

정당방위와 원인 제공자의 처벌

우리나라는 타인이 억울한 일을 당해도 그냥 보고 있어야 한다. '자기방어'는 인정되지만, 타인을 도와주는 것은 사실상 금지되어 있다. 타인이 억울한 지경에 있어 거들어 도와주다가 쌍방폭행으로 번지게 되면, 양쪽 다 벌을 받는다. 누가 먼저 잘못하여 일이 벌어지게 되었고, 누가 거기에 대응하여 정당방위를 행사하게 되었는가의 구분이 없다. 이런 상황은 법령이 아니라 판례로서 관습화된 것이다.

우리 형법 제21조(정당방위) 항에, "① 현재의 부당한 침해로부터 자기 또는 타인의 법익(法益)을 방위하기 위하여 한 행위는 상당한 이유가 있는 경우에는 벌하지 아니한다. ② 방위행위가 그 정도를 초과한 경우에는 정황(情況)에 따라 그 형을 감경하거나 면제할 수 있다"고 한다. 언뜻 보면, 위 ①항에 따라, 타인을 위해 정당방위를 행사할 수도 있는 것처럼 보이는 것 같지만, 사실은 그렇지 못하다. ②항에서 "그 정도를 초과한 경우에는 정황(情況)에 따라 그 형을 감경하거나 면제할 수 있다"는 말은 원칙적으로 "그 정도를 초과한 경우에는 벌을 할 수 있다"는 뜻이다. 문제는 "그 정도를 초월한 경우"라는 것이 어떤 객관적 기준을 설정할 수가 없다는 점이다. 이현령비현령(해석하기 나름)이다. 그래서 1953년 형법 제정 이후 2015년 경까지 법원에서 타인 구조로 정당방위로 인정한 것이 불과 13건이라고 한다. 이것은 타인 구조로 인한 폭행에서 정당방위로 인정받지 못 한다는 사실을 증명한다.

이런 형편이니, 시민은 자기가 직접 연루되지 않은 일에는 나서기를 꺼리게 된다. 그러다 보니 사회에 부조리한 범죄가 가득하게 되었다. 남의 일에 아무도 간여하지 않으려 하여, 이런 심성이 사회의 범죄와 폭력을 양산하는 결과를 초래하게 되었다. 결국 우리 사회에 각종 범죄가 범람하는 것은 정당방위 할 수 있는 시민의 팔을 이렇듯 묶어놓기 때문이다. 적은 경찰, 검찰의 손으로 모든 문제를 다 해결하거나, 척결할 수 없다. 물리적으로 애초에 불가능하다.

참고로, 고대 그리스에서는 쌍방폭행에서 먼저 원인을 제공한 쪽을 처벌한다. 정당방위의 정도를 고려하지 않는다. 무조건 순서를 가려서 먼저 빌미를 제공한 이를 처벌한다. 이 경우 정당방위로 상대를 죽여도 처벌받지 않는다. 쌍방 폭행하다 보면 피차에 정도를 따질 경황이 되지 못하기 때문이다. 이렇다 보니 누구도 먼저 폭행을 시작하거나 원인 제공을 하지 않으려 애쓰게 되고, 그만큼 폭력 자체가 줄어드는 결과를 초래한다.

타인 구조의 정당방위를 인정하면, 현재 한국 사회에 팽배한 야만적 이기주의가 줄어들게 될 것이다. 남의 불행과 억울함에 무관심으로 일관하는 풍토가 사라질 것이고, 남의 억울한 처지에도 관심을 가지는 사람들이 늘어날 것이 분명하다. 타인 구조의 정당방위를 금기시함으로써 시민 간의 유대를 저해하는 이 같은 판례는 사실상 식민 지배와 독재 권력의 잔재이다. 서로 힘을 합쳐서 독재에 저항하지 못하도록 하려는 장치로 생각된다. 시민은 이 같은 사법 관료주의적 판례의 부작용을 경계하고, 이기적 보신주의로 흐르는 무기력함에서 벗어나야 하겠다.

형법 제21조(정당방위)를 다음과 같이 바꾸기를 원한다. 항에, ① 현재의 부당한 침해로부터 자기 또는 타인의 법익(法益)을 방위하기 위하여 한 행위는 벌하지 아니한다. ② 폭력으로 인한 모든 결과는 원인 제공자가 모든 책임을 지도록 한다.

나아가 민중은 공권력의 부당한 행사에 맞서서 함께 저항할 필요가 있다. 지역의 주민 발의뿐 아니라, 거국적 국민투표 발의권 및 국민투표로 공권력 행사의 시시비비를 가려야 한다. 여 야간 정쟁을 일삼은 국회에만 맡겨놓을 일이 아니다. 바보라 해도 뻔히 알 수 있는 것들을 놓고 국회는 반대를 위한 반대로 허송세월하고 있다.

여기서 일제강점기 신채호의 의열단 선언문을 돌아볼 필요가 있다. 신채호는 "빼앗긴 나라와 자유를 찾기 위해서 행하는 모든 수단은 정의롭다"라고 선언했기 때문이다. 1922년 상해 세관 부두의 다나카 저격 사건이 있었을 때, 임시정부는 자신은 이 사건에 "하등의 관계가 없으므로 저들의 행동에 절대로 책임지지 않는다"라는 성명을 발표하였다. 그러나 의열단은 자신들이 무차별적 테러단체가 아니라 명확한 이념과 목표를 가진 혁명단체임을 천명하였다. 의열단 선언문에서 신채호는 "강도 일본이 우리의 국호를 없이하며, 우리의 정권을 빼앗으며 우리의 생존조건의 필요성을 다 박탈하였다. 식민지 민중이 빼앗긴 나라와 자유를 찾기 위해서 행하는 모든 수단은 정의롭다"고 천명했다. 신채호는 '민중'과 '폭력'을 혁명의 2대 요소로 내세우고 '이 민족통치', '경제약탈제도', '사회적 불균형', '노예적 문화사상'을 파괴 대상으로 규정했다.

그런데 지금의 현실은 어떠한가. 이명박, 박근혜 정부에서 '뉴라이트' 집단은 안중근 의사를 '테러리스트'로 규정하더니, 급기야 윤석열 정부에서 홍범도까지 '빨갱이'로 몰고 있다. 목숨 바쳐 빼앗긴 나라를 되찾으려 노력했던 숭고한 애국자의 행위조차 매도, 날조하려는 이들의 작태는 친일을 넘어선 국가를 팔아먹는 매국노 행위나 다름없다.

여기서 필자는 언젠가 들어본 적이 있는 아마존강의 불개미 떼의 지혜를 소개하고 싶다. 강을 만난 불개미가 재빠르게 한 마리씩 붙기 시작하더니 수많은 불개미가 큰 덩어리로 뭉쳐 뗏목이 되어 강을 건너는 것이다. 하나같이 죽음을 불사하고 뭉쳤기 때문에 모두 안전하게 큰 강을 건널 수 있었다.

권력을 탐하는 이가
대통령을 꿈꾸지 않도록
권력의 단위를 쪼개어 세분하자.

욕심 없는 사람을 대통령으로 뽑는 것은 어렵다

지금 '국민소득 3만불 시대'라고 한다. 그러나 OECD 통계를 보면, 자살률 최고, 노인빈곤율 최고, 출산율은 꼴찌에 도달했다.

우리 경제가 어려웠던 1960년과 1970년대에는 자살률 일등이란 말은커녕 자살도 들어보지도 못했다. 과거에는 보통 중산층이라면 집이 없는 사람은 드물었고 열심히 노력하면 자그마한 집 정도는 장만할 수 있었다. 지금처럼 웬만한 생계를 유지하는 가족임에도 돈 가지고 아등바등 싸우지 않았다. 또 옛날에는 놀고먹는 사람이 없을 정도로 부지런해서 마약중독자를 보기 힘들었다. 그러나 지금 알콜중독자는 물론이고 마약중독자도 급속도로 늘고 있다.

과거 1960-70년대 웬만한 월급쟁이 가장 한 사람이, 넉넉하고 풍족하지 못해도, 다섯 명 정도 가족을 교육하고 먹이며 살 수 있는 시대였다. 그런데 지금은 부부가 맞벌이해도 자식들 가르치기가 힘들고, 뛰는 집값으로 변변한 집을 사기도, 전셋집을 구하기도 힘들다. 자식들 교육 비용이 많이 들어 자녀를 낳아 기를 엄두도 못 낸다. 쉽게 말하면 정상적인 기본생활을 하기 어렵다. 그래서 결혼 기피 청년들이 날로 늘어난다. 이런 상황인데 국민소득이 늘었다거나 살기가 좋아졌다고 말할 수 있을까?

통계청에 의하면 2019년 출생아 수는 27만 2,300명으로 1년 전보다 무려 10퍼센트(3만 300명)나 감소했다. 이런 점에서 한 여성이 평생 낳을 것으로 예상되는 평균 출생아 수인 합계출산율은 0.98명(2018년), 0.92명(2019년), 0.78명(2022년)으로 1명 미만 수준에 머무르고 있다. 이 또한 OECD 국가 중 합계출산율이 1명 미만인 나라는 한국이 유일하다. 미국의 유명한 교수는 "한국은 망했네요"라고 말했다 한다.

정말로 최악이다. 출산율 최하위라니…… 도대체 우리나라가 왜 이렇게 되었느냐고 물으면 정치인들은 뭐라고 변명할 것이며 누구 때문이라고 핑계 댈 것인가?

자녀 교육비용이 많이 들어 감당이 안 되기에 아이를 낳고 싶어도 낳을 수 없는 것이 현실이다. 우리나라는 물가가 세계 3, 4위 정도 되고 대학 학비가 국민소득 대비 세계에서 제일 비싸다. 국민소득이 높아진 것은 의미가 별로 없다. 아무리 부부가 맞벌이해도 생활비가 많이 들어 아이를 낳아 키울 엄두도 내지 못하거나 아예 결혼조차 생각지 못하며 독신으로 늙어가는 젊은이들이 태반이다. 얼마든지 비용이 들지 않아도 될 교육비를 정치인들과 정부 관리들, 대학과 사교육 관계자들이 합심해서 아기를 낳고 키울 수 없게 자녀교육비를 올려놓았다.

출산 정책으로 2006~2022년까지 380조 원의 막대한 예산을 투여하였고 결과는 무효할 뿐 아니라 악화되었다. 어느 당 어느 정치인도 책임지지 않고 막대한 예산이 투여되어 효과가 없었음에도 국정감사나 특별 감사도 하지 않은 것은 너무나 이상하다. 그 돈은 누가 받았는지? 380원이 아니라 380조 원임을 알아야 한다. 필자는 출산율 증가를 위한 예산은 효과 없이 나누어 먹는 눈먼 예산이며 이 같은 막장 드라마는 정치의 부재에 그 원인이 크다고 생각한다.

2007년 17대 대선 당시, 이명박 후보와 정동영 후보가 출마할 때의 일이다. 비비케이 사건에 연루된 이명박 후보에 대해, "내가 비비케이의 설립자다"라는 내용의 유튜브가 인터넷에 떠돌아다녔다. 이명박 후보가 거짓말을 하고 있다는 것은 소수를 빼고 알 만한 사람은 다 알고 있었다. 그런데 검찰은 사실을 알면서도 조사하지 않았다.

유권자는 이 후보가 대기업 회장을 역임했으니 경제를 잘 살리겠지, 경제를 우선시하며 진실을 외면한 채 이명박을 압도적으로 지지했다. 이 사실을 접하며 가슴을 쳤다. 아니나 다를까? 이명박은 정권을 거머쥐자 국가를 자신의 사업체처럼 운영했다.

필자는 '이명박은 대통령이 되면 안된다'라는 것을 일찍이 예측했다. 차라리 그는 대통령보다 건설교통부 장관이 되었다면 잘했을 것이다. 건설교통부 장관 정도면 청와대나 국회에서 그가 하는 부당한 일을 통제하고 막을 수도 있었을 것이기 때문이다. 그러나 그가 대통령이 되면 무슨 일을 저질러도 통제하기 어려울 것이라 예상했기에, 필자는 그가 대통령 되면 큰일이라고 생각했다.

이명박이 대통령 시절 서울시 교통체계를 정립해놓은 점은 잘한 일이다. 대기업 회장 출신답게 어떤 일이든 기어이 일을 성사시키고 마는 기질이 발동한 것이다. 누구나 장기간 한 분야에서 오랫동안 종사하다 보면 타성에 길들어지게 마련이다. 그런 오랜 습관이 그 사람의 인격을 만들어내기도 한다. 모두 다 그렇다고 단언할 수는 없지만, 건설업의 경우, 공사비 부풀리는 데 익숙하여 거기서 개인 돈을 챙기는 것이 습관이 되었을 것이다. 뇌물을 주고받다 보면 거의 이런 습성이 굳어지게 마련이다. 반면 봉사하는 직업에 오래 종사한 사람은 어떠한 일이든 봉사자의 시각에서 남을 배려하고 남을 위해서 행동한다.

뇌물을 주고받는 일에 익숙한, 이러한 일을 반복하는 직업에 장기간 근무하며 승진을 계속해온 사람이 대통령이 되면 어떻겠는가? 거짓 소문 거리를 가지고 흥정해서 뇌물을 받고 선량한 사람의 등을 치는 사람들이 대통령이 되면 어떻겠는가? 재판을 통해 뇌물을 주고받는 거래를 장기간 했던 사람이 대통령이 된다면 어떻게 될까? 법을 악의 축으로 이용하여 세상은 법을 가장한 무법천지가 될 것이다. 현재 윤석열 정부에서 드러나는 검찰 특활비 문제, 목적성을 가진 집중적 선택적 수사 관행 등도 가려져 있던 국가기관의 부조리가 백일하에 드러나는 계기가 되었다.

반면, 똑같은 법조인이어도 약한 자들을 위해 변론하며 정권으로부터 막대한 압력과 피해를 입어도 이에 굴하지 않는 정의로운 변호사도 있다. 2013년 당시 서울시에서 계약직 공무원으로 일하던 유우성 씨는 국정원으로부터 간첩으로 몰리며 민변(민주사회를 위한 변호사 모임)에 구명 요청을 하였고, 이때 장경욱 변호사는 자신의 돈을 들여 중국을 오가며 2년 만에 그 누명을 벗겨낸 인물이다. 이러한 정의로운 장경욱 변호사와 '민주사회를 위한 변호사 모임'에서 일하는 이들 중에 대통령이나 국회의원이 나오면 어떨까? 똑같은 언론인이어도 바른 세상을 만들기 위해 유익하고 바른 보도를 하려고 애써온 사람이 대통령이 된다면 세상이 좀 달라지지 않을까? 예를 들면 동아일보 해직기자들 같은 경우이다. 그리고 평생 남이 잘되도록 음양으로 애를 써온 의사가 대통령이 된다면 어떨까 하는 생각을 하는 이도 있다.

그러나 그런 꿈은 실현되기 쉽지 않을 것이다. 바귀벌레가 단물을 빨러 모이듯이, 권력이라는 단물을 향해 돈과 거짓 공약을 살포하고 사람의 눈을 가리는 이들이 준동할 것이기 때문이다. 거기에 속아 넘어가지 않은 이가 있다면 그것은 예외적이다. 가짜 간첩을 만드는 일에 앞장서 온 직업에 종사한 사람이, 경제를 살리겠다고 장밋빛 공약을 내걸면, 질곡에 허덕이는 이들이 지푸라기 잡는 심정으로 일말의 기대를 걸게 된다. 그 결과는 더한 질곡과 공포정치의 서막인 지옥문이 열리게 될 수 있다.

아무리 욕심 없는 사람을 대통령으로 뽑고 싶어도, 마음대로 되는 것이 아니다. 편 가르기 하지 않고 이성적으로 판단해서 언제나 좋은 대통령 뽑는 것은 참으로 어렵다. 그렇다면, 남은 방법은 나쁜 이가 대통령이 되어도 위험부담을 줄이는 길이다. 그것은 무엇보다 대통령 권한 자체를 줄이는 것이다. 독재를 못 하도록 대통령을 동시에 7명 선출하여 합의제로 하도록 하는 방법도 있다. 그래도 권력이 크면, 7명이 모두 짬짬이를 할 수도 있으므로, 우선 권력의 크기를 분권해야 한다.

혹자는 '제왕적 대통령'의 권한을 국회로 넘기자고, 의원내각제 혹은 책임총리제를 하자고 하지만, 국회도 탐욕의 권력 투쟁에 여념이 없다. 여야가 서로 짬짜미하여 제 구실하지 못하는 것이다. 그러니 직접민주주의 제도를 확실히 하여 국민이 입법 제안하고 감시하며 소환할 뿐 아니라 정부 조직 간에 감시하며 견제할 수 있도록 국가의 조직 체계를 바꾸어야 한다. 대통령의 권한은 각 지역으로 분산하고, 행정부 각 기관의 기능도 지역으로 분산하도록 한다. 동시에 정부 각 기관과 공직자에 대한 감시와 처벌의 권한을 국회뿐 아니라 궁극적으로 국민이 가지도록 할 필요가 있다. 대통령은 물론 국회도 국민의 감시하에 국민소환의 대상이 되어야 한다.

겸손하고 보잘 것 없으나
사명감을 가진 이들

죽으려고 작심하면 모두 살고,
나만 살려고 하면 다 죽는다

성경에 따르면, 하나님은 "약한 자를 택하여 강한 자를 부끄럽게 하신다"라고 한다. 이스라엘 역사인 구약을 보면 나라가 어려울 때 겸손하고 비천한 사람이 선택받았다. 모세가 선택받았을 때, 그는 겸손했고, 여러 가지 이유로 자신이 부족하고 부적합한 인물이므로 감당할 수 없다고 했다. 기드온은 특별하지 않은 하찮은 인물로서 지도자로 선택받았다.

나사렛 목수의 아들 예수님은 역시 유명한 학벌이나 부를 가진 이가 아니었다. 그러나 그에게 주어진 사명을 위하여 제사장과 산헤드린 공회원, 바리새인들과 사두개인들을 대항해서 진리를 선포하며 나아갔다. 그는 제사장의 부조리와 부패를 지적하고 그들의 카르텔에 대항하였다. 그들의 경제 공동체의 중요한 부분인 성전 안에서 제물을 팔고 사는 상을 엎었다. 당시에 누가 이렇게 용기를 낼 수 있었겠는가? 기득권들이 내세운 성전과 물질의 허무함을 알리고 진정으로 우리가 바르게 살아가는 방법을 선포하였다. 그는 자신이 어떻게 죽을 것을 알고도 참삶에 대하여 설파하였다. 제자들도 한자리 얻어볼까 하여 따라다니고 예수님이 기적으로 먹여주는 것에 끌리어 따라다녔다. 그러나 예수는 자신의 목숨을 잃고 말았다. 선생이 돌아가고 부활하자 제자들은 눈을 바로 뜨고 전혀 다른 진리를 깨닫고 자신들도 십자가를 지고 죽음의 길을 따랐다. 그 기독교가 세계 종교가 되었다.

역사상 가장 큰 영토를 확보한 강력한 나라가 태무진, 칭기스칸의 몽골이다. 태무진이 다른 부족에게 아버지를 잃었을 당시 20살 이상의 남자가 없었다고 한다. 당시 13명의 청년이 쫓기면서 동지가 되어 숲속에서 뱀이나 쥐를 잡아먹으면서 나라를 세우고 키워나갔다. 징기스칸은 사리를 버리고 국민을 이끌기 때문에 국민과 군인들이 징기스칸을 전적으로 신뢰할 수 있었다고 한다. 그래서 13명이 큰 군대로 변했고, 조그만 집단의 지도자가 아시아와 유럽을 지배하게 되었다.

우리 이순신 장군의 13척의 배로 일본군의 300척의 병선을 막아냈다. 그것은 전라도 남쪽 끝에 사는 백성들의 협조로 가능했다. 이순신이 지혜로서 거북선을 만들고, 울돌목 바다의 조류에 편승하여 자연의 물길을 이용했으며, 이순신의 진심에 감동된 이들이 빈털터리 이순신을 따르므로, 기적의 역사가 일어나 전쟁을 승리로 이끈 것이다.

오늘날 한국에는 놀랍게 많이 배운 사람들이 나라를 오히려 어지럽히고 범죄를 저지르고 있다. 법을 배운 이들이 어떻게 법을 이용하여 사리를 채울까, 권력 가진 이들이 어떻게 하면 국민을 속이고 이웃을 속여 부수입 올릴까를 두고 경쟁하는 것 같다. 미꾸라지처럼 나만 어떻게 더 잘살아보려고 하기 때문이다.

엔리코 달가스는 1864년에 프로이센과의 전쟁에서 지고 국민이 실의에 빠져 있을 때 "밖에서 잃은 것을 안에서 찾자"라고 국민에게 용기를 불어넣으면서 황무지 개간에 앞장섰다, 그의 열성에 감동한 국민이 그와 함께 모래땅에 나무 심기를 거듭한 끝에 거친 국토는 푸른 빛으로 바뀌었고 이로써 덴마크가 부흥의 기틀을 다지게 되었다.

인위쩐의 아버지는 사람이 살 수 없는 사막에 있는 청년에게 인위쩐을 버리고 갔다. 인위쩐은 3일을 울다가 여기서 살아야 된다는 것이 운명이라면 나무를 심기로 한다. 네이몽구 사막의 1400만평에 20년간 나무 풀을 심어 사막을 숲으로 만들었다<이미애 저서 사막에 숲이 있다.에서 인용>.

역사에서 큰일에 선택되어 맡겨진 대업(業)을 이룬 이들은 겸손하고, 보잘것없으나 사명감을 가지고 나섰다. 다 죽으려고 작심하면 모두 살고, 나만 살려고 하면 다 죽는다. 여기서 필자는 강을 만난 불개미 이야기를 다시 소개한다, 재빠르게 한 마리씩 붙어 수많은 불개미가 큰 덩어리로 뭉쳐 뗏목이 되어 강을 건너는 것처럼 하나같이 죽음을 불사하고 뭉쳤기 때문에 모두 안전하게 큰 강을 건널 수 있었다.

처벌받은 공직자는
쉽게 사면하면 안 된다.

국민이 반대하는 사면은
국민투표로 저지할 수 있어야 한다

　　우리는 독재자들의 악행을 벌하기를 바란다. 그들 개인에게 원수를 갚는다는 의미는 아니다. 모든 처벌과 법 집행은 그런 사건이 다시 일어나지 못하도록 하기 위한 것이다. 그러나 한국에서는 이런 상식이 지켜지지 않는다. 그래서 공직 비리는 계속 재발하고 질곡에 질곡을 더하게 되는 것이다. 오늘 한국 사회가 이 지경에 처한 것은 대의와 원칙을 지키지 않고 쉬 허물기 때문이다.

　　독립 당시 이승만 정권에서 반민특위를 구성해서 처벌하려 했으나 정권 유지를 위해 친일파들을 구제하려 반민특위를 해산하고 말았다. 그것이 역사적 비극의 재점화이다. 숨을 죽이고 있어야 할 '친일파'들이 '친미파'로 탈바꿈해서 권좌에 앉기 시작했다. 그로 인해 어떤 일이 생겼는가? 서북청년단이 생겼다. 군대 내와 경찰 조직의 권좌를 그들이 차지했다. 연이어 제주 4·3 만행이 일어났다. 제주 4·3 민중을 학살하기 위하여 군대를 동원하는 과정에서 동족을 살상할 수 없다며 거부하는 이들 사이의 교전이 여수 순천 사건이다. 근본적으로 승승장구한

'친일파'들이 갖은 만행을 저질러 왔고 자유당의 불법 집권과 부정선거에 항거하는 학생 시위대를 향해 발포하여 많은 희생자를 내었다.

그 희생으로 이룬 것이 민주당 정권이었으나 민주화되어 소란한 틈을 타서 일본의 만주 군관학교 출신 박정희가 5·16 반란을 일으켰다. 이것 또한 불합리를 합리화시키기 위해 수많은 백성을 희생시켰다. 자신이 공산주의자였던 것을 감추기 위하여 반공을 국시의 제일로 삼는다는 명분을 내세워 수많은 가짜 공산주의자들과 가짜 간첩을 만들어 가족 친지까지 생존 위협을 가했다. 그리고 국가보안법, 반공법, 유신헌법을 만들고 중앙정보부를 만들어 그것을 무기로 계속해서 국민을 핍박했다.

반민특위가 잘 시행되었으면 박정희의 반란도, 전두환의 반란도 없었을 것이다. 2024년 개봉한 영화 <서울의 봄>에도 등장하는 사실이다. 전두환 일당은 입만 열면 안보를 외치던 무리였지만, 실상은 전방을 지키던 9사단(사단장 노태우)까지 휴전선을 비우고 서울로 내려와 반란을 일으켰다. 이것은 사형에 해당할 만큼의 중범죄다. 사단장이 위수지역을 이탈하고 주적 북한이 침범할 수 있는 길을 열어 주었기 때문이다.

김영삼 정부 때는 이것을 따져서 전두환과 노태우를 중형에 처했다. 그러나 김대중 대통령은 역사도 살피지 않고 비상식적으로 둘을 사면한 것이다. 그러면 독일이 나치 전범을 처리하는 것이 잘못되었다는 것인가?

독일은 철저하게 청산한다. 수용소 간수는 명령에 따라서 어쩔 수 없이 간수의 직분을 수행했지만 그런 행위까지 철저히 처벌하고 청산의 대상으로 삼았다. 그런데 일본과 우리나라의 독재자들은 자신의 잘못을 인정하지도 않았다. 사면해도 죄를 철저히 가리고 인정한 후 시행했어야 한다. 앞에서 말했지만 조금만 생각하면 누구든 얼마든지 전두환 군부의 죄악을 밝힐 수 있었는데 당시에 군부 세력이 강해서인지 밝히지 못한 것이다. 광주민주화운동 당시 각 지역에 주둔해 있던 부대장들이 발포해서 죽인 것을 추궁하여 살인죄로 처벌하면 금방 발포명령자를 밝혀낼 수가 있었다. 어떠한 연유에서인지 못했다면 지금이라도 밝혀내어 다시는 우리나라 역사에 이런 일이 일어나지 않게 해야 할 것이다.

공직자 비리의 처벌은 국민 화합을 저해하는 것이 아니라 강화하기 위한 것이다. 김대중의 전두환 사면, 문재인의 박근혜 사면은 참으로 어처구니가 없다. 대통령이라고 해서 반민족적 5.18 광주학살의 궁극적 책임자를 쉬 사면하고, 촛불 민심을 배반할 권리가 있는가? 이런 사면의 전례를 따라, 윤석열은 이명박을 사면했다.

많이 양보하더라도 "모든 국민은 법 앞에 평등하다"라는 헌법을 무시해도 되는가? 헌법을 지키고 합법적으로 하려면 같은 형기 이하의 흉악범을 제외한 모든 범인을 사면해야 하는 것 아닌가? 부패하고 타락한 관리들이 큰 죄를 지으면 사면이고 힘없는 시민들의 범죄는 형기를 채워야 하는가? 기왕에 국민의 화합 차원이라면 대대적인 사면이 이루어져야 할 것이다. 그런 것은 국민의 뜻을 물은 연후에 결정해야 한다. 국민의 의사를 묻는 것이 국민투표이고 직접민주주의의 실천이다. 대통령과 국회가 민심을 배반하지 못하도록, 국민이 국민투표 발의권 및 국민투표권을 가지고 이 같은 공직자의 자의적 행태를 저지할 수 있어야 한다. 그렇지 않다면, 대의제는 민주가 아니라 과두정치가 된다.

국회의원 위에 군림하는
국회 전문위원들

국회의 본분 찾아야

우리나라 국회는 입법부의 역할을 제대로 하고 있을까? 국회가 거수기로 허수아비들이 모인 곳이라고 한탄하는 이들이 있다. 20대 국회의원으로 재선 출마를 포기한 표창원에 따르면, 국회에서는 국회의원이 입법하는 것이 아니라, 올라오는 법안의 통과 여부를 결정하는 찬반 거수에 불과하다고 폭로했다.

국회의원들이 허수아비로 변한 이유는 크게 다섯 가지를 들 수 있다. 첫째, 국회 입법은 소위원회, 소소위원회, 소소 소위원회에서 몇 사람이 미리 다 짜서 올려보내기 때문이다. 둘째, 민초들이 선출한 국회의원이 입법하는 것이 아니고 의원이 제안한 법이 국회 내 전문위원이라 불리는 행정관료들이 하는 타당성 검증을 통과하지 못하면 폐기되기 때문이다. 국회의원을 보좌하는 기능을 해야 할 국회공무원이 대의권을 가진 국회의원을 대신해 권한을 행사하기 때문이다. 셋째, 박정희 독재정권의 헌법위원회 소수의 결정권을 가지고 있었던 독재정권의 전철을 밟아서, 1987년 헌법에서 전두환이 만들어 놓은 헌법재판소가 국회 위에 군림하기 때문이다. 넷째, 이명박의 의료조정중재위원회가 대변하고 보건복지부와 국회를 조종하기 때문이다. 다섯째, 이번 이재용을 기소 위기에서 풀어주는 것을 제안한 대검찰청 수사심의위원회 같은 각종 위원회가 국회의 기능을 대신하기 때문이다.

이 중에서도 직접적으로 국회의원 위에 군림하는 것은 안팎으로 크게 두 가지이다. 하나는 국회 안의 전문위원, 바깥에는 헌법재판소가 있다. 국회 내 임명직 전문위원이 입법안을 감독하고 수정하며, 그 손을 통과해야 발의가 가능해진다고 한다. 전문위원이 국회의원 위에 군림하는 것이다. 헌법재판소는 9명의 임명직 헌법재판관이 국회의 결정을 뒤집고, 그 결정을 견제할 수 있는 제도 기관 자체가 헌법상에 없다. 국민의 의사를 뒤집는 것이 말이 되는가? 그런 점에서 한국은 민주국가가 아니라 9명의 사법관료 과두체제이다.

국회에서 국회의원의 본업인 입법 과정 중에서 대부분의 과정을 국회공무원인 전문위원들이 행사한다. 아무리 능력자이거나 의욕이 넘치는 국회의원이 국회에 진입해도 할 수 있는 일이 많지 않다. 그래서 "국회의원들이 일은 안 하고 날로 먹는다"라는 비난까지 나온다. 역할을 하더라도 고작 상임위원회와 본회의 통과 과정에 관여할 뿐이다. 법안 검토는 입법 과정 중에 가장 중요한 것이다.

이 과정을 국회의원이 아닌 국회의 행정공무원이 대신한다면 입법 업무를 포기하는 것이다. 이렇게 본업으로부터 배제된 상태이다.

과거에는 해당 상임위원회에서 추천하였으나 지금은 그런 과정도 없다. 따라서 "전문직 협회는 국회의원이 아니라 전문위원에게 로비를 하고 장관은 국회공무원을 찾아온다"라는 말을 국회 주변에서 듣는다.

최근 문화방송에서 '국회의사당의 숨은 실세들-국회 전문위원'이라는 제목으로(탐사기획 스트레이트) 국회 전문위원에 대해서 증인들을 통해서 상세히 보도하는 것을 보았다. 전문위원이 새로 임명되면 소관부처 공무원이나 공공기관 관계자들이 줄을 서서 업무 보고를 한다.

다른 나라의 경우, 국회의원이 정책 전문가들의 자문을 받아 치열하게 연구하고 검토하는 일은 있을 수 있다. 그러나 칼자루를 전문가에게 넘겨주고, 그들의 감독을 통과해야 법안을 발의할 수 있다는 것은 있을 수 없는 일이다. 어렵사리 돈 들여 국회의원을 뽑아놓았더니, 하는 일이 고작 관료의 손에 붙잡혀 숨죽이고 있는 것이 한국의 국회의원 실태이다.

전문위원이 국회의원 대신 권한을 행사하는 권한은 아래의 법적인 근거에 있다. 국회법 제 42조 4항, "전문위원은 위원회에서 의안과 청원 등의 심사, 국정감사, 국정 조사 기타 소관 사항과 관련하여 검토, 보고 및 관련 자료의 수집, 조사, 연구를 행한다." 제5항은 "전문위원은 제4항의 직무를 수행함에 있어 필요한 자료 제공을 정부, 행정기관 기타에 대하여 요청할 수 있다"라고 규정하고 있다. 문제는 국회의원을 감독하는 이 같은 행정관료의 월권에 종속되어 있는 의원들이 그 종속성에 대해 아무런 이의를 제기하지 않고 있다는 사실이다. 이것은 국민에 대한 배반이다.

식물국회의원에게 주어진
200여 가지 특혜

국회의원은 안심하고 일할 수 있게 하는 2가지 법적 규정, 면책특권 (헌법 45조)과 불체포특권(헌법 44조)이 있다. 그러나 한국 국회의원은 다른 나라에 볼 수 없는 200가지가 넘는 특권을 누리고 있다고 한다. 이 같은 지나친 특권이 오히려 의원을 방만하게 하고, 겸손 대신 거만을 키우고, 내실 있는 직무 수행을 방해한다. 특권 누리느라 가히 일할 시간이 없을 정도라고 하겠다.

종종 식물국회를 연출하는 국회의원은 일은 안 하면서 옥황상제도 부러워한다는 200여 가지 특권을 누리고 있다고 한다. 상임위원장은 년 5000만 원이 들어 있는 '미성'(작은 정성)이라고 써진 봉투를 받아 영수증도 없이 쓴다고 한다. 당 대표와 원내 대표가 되면 월 7000만 원씩 지급된다. 지급되는 업무추진비와 판공비 때문에 당 대표, 원내 대표, 상임위원장을 서로 하려고 한다. 한 사람에게 가는 이익이 너무 크기 때문에 원내 대표의 임기가 2년에서 1년으로 단축되었다고 한다.

그 외에도 해외에 여행 갈 때 비행기는 1등석을 탄다. 기차 무료이다. 일도 안 하는 국회의원들에게 지급하는 돈만 가지고도 수많은 어려운 사람들을 살릴 수 있을 것이다. 우리 국회의원들은 사무실이나 국회가 작아서 일을 못 하는가? 현재의 국회 의원회관도 모자라서 강원도 고성에 500억 원을 투자하여 제 2 의원회관(의정 연수원)을 짓고 있단다.

게다가 기본급이 월 600여만 원, 입법활동비가 월 300여만 원 정근수당, 명절휴가비 등이 연 1,400여만 원, 관리 업무 수당이 월 58만 원, 정액 급식비가 월 13만 원, 합계 연봉은 1억 3,000여만 원이다.

유류비, 차량 유지비는 별도로 지원, 항공기 1등석, KTX, 선박은 전액 무료, 전화와 우편요금 월 91만 원, 보좌진 7명 운영비가 연 3억 8천만원 국고에서 지급된다. 국고 지원으로 연 2회 이상 해외 시찰이 보장되고, 65세부터 사망 시까지 월 120만 원 연금 지급된다.

현금 외의 지원도 있다. 보험 가입 시 A등급으로 보험료가 가장 싸다. 국회 내 개인 사무실이 제공되는데 돈으로 따지면 11억 6,685만 원이다. 도배와 인테리어 등 모두 국가에서 관리한다. 83억 들여 꾸민 국회 본회의장이 있다. 국회의원이 사용하는 모든 것이 국가에서 지원된다.

변호사, 의사, 약사, 관세사 등의 직업은 겸직이 가능하다. 가족 수당으로 매월 배우자 4만 원, 자녀 1인당 2만 원을 받는다. 정치 후원금을 1년에 1억 5천만 원, 선거가 있는 해는 최대 3억까지 모금할 수 있다. 국회 의원회관에서 헬스, 진료비 가족들 진료도 무료다. 전용 레드 카펫 밟을 수 있다. 국회의사당과 불과 50m 거리에 2,200억 짜리 의원회관이 있다. 강원도 고성에 500억 국회 의정 연수원 지었다. 골프도 사실상 회원 대우. 마음에 안 드는 사람 언제라도 불러 혼쭐 내주는 '상시 청문회'와 지역구 민원을 국민권익위원회가 처리해서 3개월 내로 보고토록 한다.

한편, 참여연대의정감시센터는 의원별 특활비 수령액을 분석한 '2011~2013 국회 특수활동비 지급 내역 분석보고서 2'를 발간했다. 이 보고서에 따르면, 2011년부터 2013년까지 국회의원들의 '쌈짓돈'인 특수활동비(특활비)를 가장 많이 받은 의원은 한나라당·새누리당 소속 황우여 전 의원인 것으로 나타났다. 민주통합당 원내대표를 지낸 박지원 민주평화당 의원이 뒤를 이었다.

원내대표를 맡았던 의원들이 모두 최상위권에 올랐다. 1억 5000만 원 이상을 받은 의원도 21명에 달했다. 황 전 의원은 2011년 5월부터 2012년 5월까지 한나라당·새누리당 원내대표를 맡았고, 동시에 국회 운영위원장과 법제사법위원으로 활동하며 총 6억 2,341만 원의 특활비를 받았다. 박 의원은 2012년 5~12월 민주당 원내대표, 법제사법위원, 남북 관계 발전 특위 위원장 등으로 활동하며 5억 9110만 원을 수령했다.

그다음은 2011년 5월부터 2012년 5월까지 민주당 원내대표를 지내며 5억 5853만 원을 받은 김진표 의원이었다. 이한구 전 새누리당 의원은 5억 1632만 원, 전병헌 전 민주당 의원은 3억 8175만 원, 최경환 전 새누리당 의원은 3억 3814만 원, 박기춘 전 민주당 의원은 2억 3591만 원, 김무성 자유한국당 의원은 2억 1837만 원을 받아 챙겼다. 이들 모두 각 당의 원내대표를 지냈다. 특활비는 정책지원비, 단체활동비 등의 명목으로 지급됐다. 민주당은 원내대표 명의로, 한나라당·새누리당은 당직자 명의로 돈을 타 갔다. 해당 기간에 특활비를 받은 의원 가운데 현재 20대 의원으로 활동하고 있는 의원은 79명으로 확인됐다. 민주당 강창일·박영선·오제세 의원과 한국당 이군현 의원 등이 당시 1억, 박지원·김진표·이한구 5억여 원 수령, "국회는 구체적인 내역을 공개하고 지급을 중단해야 한다"라고 경고했다.

참여연대 측은 "특활비가 매달 정액 지급되거나 특수활동과 무관한 위원회나 부서에도 지급된 사실 등을 종합하면 결코 국회가 기밀 수사나 정보 수집 등을 위해 특활비를 사용한 것이 아니라는 결론이 나온다"라고 하면서 "국회는 즉각 구체적인 사용 내용을 공개하고 특수활동비 지급을 중단해야 한다"고 강조했다.

요즘 검찰 특활비로 세상이 떠들썩한데, 국회도 그 같은 관료주의 관성에서 예외가 아니다.

삼권분립을 벗어난
독재의 헌법재판소

국민 위의 기관은 폐지

한국 헌법재판소는 국회(즉 국민) 위에 군림하고 있다. 헌법재판소가 독재체제의 산물임을 증명한 사건이 두세 가지가 있다. 최근에 일어난 불법 재판관 임성근 판사의 국회의 탄핵 결정을 헌법재판소에서 무효화하고 기각 혹은 각하한 것, 국회에서 탄핵한 행정안전부 장관 이상민을 다시 헌법재판소에서 무효화 한 것이다. 국회에서 결정한 박근혜 대통령 탄핵을 다시 헌법재판소에서 검토한다는 것이 말이 안 된다.

국회는 국민의 대표로서 국민의 권한을 대신한 것이다. 헌법재판소가 국회 위에 군림하는 것은 국민 위에 군림한다는 뜻이다. 헌법재판소는 군부독재 말년 전두환이 남긴 마지막 작품으로, 1987년 헌법에서 국민과 국회의 뜻을 일거에 무력화하기 위한 기관으로 창설되었다.

헌법재판소는 반민주적인 과두 독재 기관이다. 기능적으로 월권하고, 절차상 3권분립 체제에서 벗어나 있다는 점에서 그러하다. 기능적으로 헌법을 수호하여, 정부 권력이 시민의 기본권의 침해여부를 감시해야 한다. 그러나 한국 헌법재판소는 정치의 영역에까지 문어발을 내밀고, 정당해산권, 탄핵심판권 등을 가지고 있다. 적어도 유럽 선진국의 헌법재판소에서 헌법재판소가 중앙 연방의회의 결정에 대해 심판하는 곳이 어디 있겠나?

　명색이 법을 수호해야 할 헌법재판소가 국회 위에서 정치를 좌지우지하도록 해놓은 것은 전두환 및 그 측근의 머리에서 나온 발상이었다. 그러나 전두환만 나무랄 일도 못 된다. 잘못된 줄 알면서도 1987년 헌법 제정 이후 법학자, 국회의원 그 누구도 이것을 시정해야 한다고 나선 이가 없기 때문이다. 그 나물에 그 밥으로, 대개가 전두환의 아류 같다.

　우리 헌법재판소는 독일의 것을 모방했다고 하는데, 이름만 빌어왔을 뿐, 하는 일이 전혀 다르다. 독일의 헌법재판소에서 다루는 95%가 헌법소원이며, 업무의 대부분이 재판소원이다. 재판소원이란 3심까지의 재판을 거쳐도 재판이 공정하지 못하다고 생각될 때, 헌법재판소에 소원하는 것이다. 그러나 한국 헌법재판소는 애초에 재판소원을 원칙적으로(헌법재판소법 제68조 제1항) 막고 그것도 정상의 토의과정을 거치지 않고, 법안이 통과되기 하루 전날 밤, 전격적으로 삽입되었다고 한다. 이렇게 입법 테러, 쿠데타에 의해 삽입된 재판소원 금지 조항이 40년이 다 되도록 버젓이 시민의 권리를 침해하는 독소조항으로 존재하고 있다. 공천권 따내는 데 혈안이 된 국회의원의 눈에는 이 같은 것이 보일 리가 있겠나!

　절차상 헌법재판소의 결정을 견제하는 장치가 전무한 점에서 독재기관이다. 헌법재판소를 헌법을 수호하는 역할에 한정하도록 기능을 축소하고, 동시에 3권분립의 체재 내로 편입시켜야 한다. 동시에 정당해산, 탄핵심판권 등 정치적 영역의 기능을 제거하고, 공정했는지를 검증하는 재판소원 처리기관으로 탈바꿈해야 한다.

평등권의 부재

　헌법 11조 1항에 "모든 국민은 법 앞에 평등하다"라고 규정하고 있다. 법 앞의 평등권은 사법, 행정, 입법 등 국가의 모든 기관을 포괄적으로 구속하는 법 앞의 평등을 의미한다.

　이때 법은 국회에서 제정된 형식적인 의미의 법률뿐만 아니라 그보다 더 광범한 형식의 모든 법을 말한다고 보아야 하겠다. 성문법과 불문법, 국내법과 국제법을 포함하며 헌법, 법률이나 그 밖의 모든 명령이나 규칙 등까지 모든 법이 여기에 포함된다.

　또한 국민이란 자연인만을 뜻하는 것이 아니고 법인이나 법인격이 없는 단체도 포함하는 개념이다. 평등이란 절대적 평등이 아닌 "같은 것은 같게, 같지 않은 것은 같지 않게"라는 임의의 금지, 또는 합리적인 차별을 의미하는 상대적 평등을 의미한다면, 그것은 사유재산의 보호뿐만 아니라, 고소득자에서 누진세를 부과하는 것도 합리적 차별대우로서 법 앞의 평등에 반하는 것이 아니다.

　다시 헌법 제 11조 1항 후단에 "누구든지 성별, 종교, 또는 사회적, 문화적 생활의 모든 영역에 있어서 차별을 받지 아니한다"라고 한다. 차별금지의 사유와 생활영역을 동시에 규정하고 있다. 성별에 의한 차별금지는 곧 남녀평등을 의미하는 것으로 공법상 영역에 서는 물론 사법상의 영역에서도 남녀의 성에 관한 가치판단을 기초로 해 차별 대우하는 것은 용인하지 않는다. 종교에 의한 차별금지는 곧 종교 평등을 의미한다. 그리고 사회적 신분이란 사회생활에서 생기는 신분, 즉 자본가, 노동자, 농민 직업상의 지위 등을 말한다. 따라서 정치적, 경제적, 문화적 차별을 모든 생활영역에서 금지한다는 의미는 이러한 모든 분야의 불평등을 금지한다는 것이다.

그러나 현실은 헌법에 규정한 원론과 사뭇 딴판으로 간다. 예를 들면 필자는 2021년 8월 이재용 삼성 부회장을 가석방 시키기 위해 법 규정까지 바꾸는 것을 보았다. 이것은 평등이 아니다. 그냥 재벌 회장이고 '회사 잘 경영하여 돈 벌어 국가 사회에 기여하라'는 뜻이었다면, 대놓고 가석방이고 사면이고 하면 된다. 법 규정까지 손을 대는 꼼수를 쓰는 것은 참으로 졸렬하다. 뒷거래가 있었다면 더더욱 그러하다.

능력과 지위가 자유의 정도를 결정하는 것은 평등이 아니다. 이재용과 같은 형기가 주어졌던 사람은, 흉악범이나 반사회적인 범죄자를 제외한 모두를 가석방해야 할 것이 아닌가? 또 박근혜 전 대통령을 사면하였다. 법률 위반했다고 재판하고 판결하는 것이 무색하다. 사람이 미워서 벌을 주는 것이 아니다. 그들이 잘못했음을 벌할 뿐 아니라 앞날을 경계하고 경종을 울리기 위함이다. 이제 이런 것을 보고, 재벌이나 대통령은 마음 놓고 일을 저지를 것 같다. 들키고 벌을 받아도 사면되면 될 것이니 무엇이 두렵겠는가?

브라질 검사와 판사가 공모한 '세차작전'의 희생물 룰라

사법 패권주의에 의해 허물어진 민주주의

법으로써 최고의 헌법은 시대가 변하고 환경이 바뀌면 개정해야 한다. 미국 3대 대통령 제퍼슨은 법률이나 헌법은 17년마다 효력을 상실하게 하여 현세대의 규율로 사용할 수 있어야 한다고 했다. 그러나 우리나라 1987년 헌법은 강산이 변해도 4번이 다 되어 가도록 개정되지 않았다. 겨우 나오는 소리가 의원내각제 개헌을 하자고 한다. 국민이 뽑는 대통령 권력을 국회의원들이 뽑는 총리에게로 옮기자는 것이다.

브라질 세차작전의 검찰 사법 패권주의* 민주주의는 생각보다 허술하게 무너질 수 있다는 것을 보여준다. 브라질의 대통령으로 당선된 초등학교 중퇴의 노동자 '룰라', 그가 대통령이 된 이후 브라질의 빈민계층은 없어지고, 세계 8위의 경제 대국으로 부흥하였다.

국민의 지지는 80%가 넘었고, 세계 각국의 정상들이 그를 칭찬했지만, '기득권과 언론'들은 그를 헐뜯고 비난하였다.

룰라가 퇴임하자 시작된 '세차작전(Opreation Car Wash)', 판사와 검찰이 내통하여 민주 정부를 전복시키기 위한 '사법 쿠데타', 검사는 진보 공직자의 구속을 유도하고 언론이 사건을 확대하여 부각시켜 대중의 분노를 유발하여 공격하게 한다.

이미 기득권의 한통속인 그들은 검찰이 증거가 약해도 기소하면, 판사는 예외 없이 유죄판결을 내린다. 세차작전을 통한 사법 구데타는 집권당 및 정부의 진보 인사들을 구속시켰고, 심지어 룰라의 후임 대통령도 범죄혐의를 씌워 탄핵한다. 룰라가 대선에 다시 출마할 경우 승리할 것이 100% 예상되자 뇌물죄 등의 혐의를 씌워 구속하고, 피선거권을 박탈해 버린다.

반면, 극우 정당의 대선후보에게 제기된 소송들은 모두 기각하여 면죄부를 주었고, 결국 대통령으로 당선시켰다. 극우 정권의 무능과 부패에 대하여 국민이 저항해도 아무런 소용이 없었다. 저항하는 사람들은 검찰에 의해 구속되고, 판사는 유죄판결로 저항 의식을 합법적으로 감옥에 가두어 버렸다. 그 결과 세계 8위의 브라질 경제는 몰락하였고, 빈곤층의 고통은 룰라 이전으로 회귀하였고, 기득권의 이익은 룰라 이전으로 복구되었다.

브라질은 민주주의가 과거처럼 총과 칼을 동원한 군부 쿠데타에 의해 전복되는 것이 아니라, 정치화된 사법권력이 '기득권 및 언론'과 손잡고 소리 없이 민주주의를 전복시킬 수 있다는 것을 보여주는 실제 사례이고, 민주주의는 생각보다 기득권의 반동과 작전에 손쉽게 무너질 수 있음을 그대로 보여준다.

룰라는 감옥에서 인터뷰 하면서 말한다.

"브라질 엘리트 계층은 빈곤층의 사회적 상승을 용납하지 않는다. 빈곤층에게 대학입학을 허용하고, 부유층과 동일한 인도를 걷게 하고, 쇼핑몰과 공항을 그들과 함께 이용할 수 있게 한 것이 내가 저지른 '죄'

라면 그렇다."

그 룰라가 이번에 재집권에 성공했다.

지금 대한민국의 현실은 검찰이 정치에 개입하여 설쳐대는 점에서 브라질의 사례와 너무 닮았다. 세계 9위의 경제 대국으로 세계 각국의 정상들이 집권당의 대통령을 칭찬하지만, 기득권과 언론은 헐뜯고 비난하고 있다. 심지어 극우 정당의 대선후보는 노골적으로 '검찰공화국'을 주장했다.

법무부의 통제금지, 검찰의 예산권 부여, 공수처 폐지. 집권당 및 정부의 진보 인사들과 달리 극우 정당 및 대선 후보 측근에 대한 검찰, 판사, 언론, 기득권이 보이는 이중적인 잣대를 보면, 과연 대한민국의 미래는 어떻게 될 것인가? 민주주의의 위기. 대한민국의 위기가 도래했다.

판사가 잘못 판결해도
벌 받지 않는 나라

판검사 임용 민선제, 시민 배심(참심),
인공지능 재판 도입을 촉구한다

삼권분립이란 입법, 행정, 사법 등 삼권이 서로 견제하라는 뜻이다. 그러나 삼권분립의 견제는 간데없고, 제각기 각자도생하고 서로 불간섭하는 독립 기관들이 난립해있을 뿐이다.

3권분립 원칙을 천명한다고 해서 반드시 민주국가임을 보증하는 것이 아니다. 원칙 따로, 현실 따로 가기 때문이다. 한국의 현실에서는 3권이 분립에 의한 상호견제가 아니라, 서로 야합하기도 한다.

현재 수사를 잘못한 검사는 물론, 재판을 고의로 잘못한 판사도 탄핵이나 벌을 받는 일이 없다. 드물게 이탄희 의원이 법원조직법 개정 반대, 김앤장 독식법 추진 등으로 열심을 내어 한때 개선에 앞장선 적이 있다. 이수진 의원은 법관 탄핵을 거론했다가 오히려 고소당했다.

우리나라 판사는 법에도 없이 면책특권을 갖는 초법적인 존재가 되었다. 판사가 위법하게 재판해도 그것을 문제 삼아 국가 배상을 청구하지 못하게 되어 있다. 부당하게 재판하니 억울해서 재판 건수는 더 많아지고, 재판 건수가 많아지니 다시 부실 재판으로 이어지는 악순환을 거듭한다. 법관의 사실상 면책특권은 입법이 아니라 법관들 자신이 만든 판례에 의한 것이다.

해당 대법원 판례(2003.7.11. 99다24218)는 법관의 스스로 면죄 입법 효과를 낸 것으로서, 내용과 절차 면에서 다 위헌이다. 공직자가 배임하면, 지위 고하를 막론하고 처벌받아야 하지만, 이 판례는 법관에게 면죄부를 주는 결과를 초래하기 때문이다.

내용상 위헌으로, 법관들이 '고의'로 위법하게 재판해도 벌을 받지 않는 초법적 존재로서의 입법 효과를 낳는다. 법관이 '고의'로 위법하게 재판해도 민사상 손해배상책임을 지지 않도록 하고 있고, 나아가 형사상 책임에서도 관례상 벗어나는 결과를 초래하게 되었다.

이 판례는 절차상으로도 위헌이다. 1심과 2심 재판 과정에서 설령 명백한 불법이 있었다고 하더라도, 그 법관들의 불법을 문제 삼아 국가 배상을 청구하지 못하도록 해놓았기 때문이다. 남은 것은 3심(대법원) 재판뿐인데, 이 대법관들이 부당하게 재판할 때 이것을 문제 삼아 1심 법원에 국가 배상 청구를 한다면, 1심 판사들이 이를 인정하겠는가? 다시 그 일심의 판결이 불법해도 문제 삼는 것이 원천적으로 불가능하므로, 다람쥐 쳇바퀴 돌 듯 돌기만 할 뿐 법관은 처벌받는 일이 없게 된다.

이 같은 법관들의 스스로 면죄의 특권은 민주국가의 평등 원리를 훼손한다. 이것은 법관이 배타적 특권 집단을 형성하고 있다라는 반증이다. 이 폐쇄적 법관 카르텔부터 허물어야 할 판이다. 사실 재판은 법대를 나오거나 사법시험에 합격한 사람만 하라는 법은 세상에 없다.

일반 시민도 법관이 될 수 있고, 법률과 재판은 상식에 따라야 한다. 한 예로 시민 배심 재판제도가 있는데, 현재 한국에서는 시민 배심 제도가 결정권 없는 자문 기구로 작동한다. 시민도 결정권을 가지고 있어야 한다. 법원 내부의 배심원제도를 도입하여 영미와 같이 배심원이 유무죄를 판단하는 결정권을 갖도록 해야 한다.

환자의 치료에는 과학적으로 검증받은 국제적 공통된 교과서를 기준으로 환자에 따라 약간의 응용이 있을 뿐이다.

우선 사법계의 문제도 쉬운 일부터 도입해보는 것이다.

인공지능 재판을 도입하길 바란다. 인공지능을 재판에 도입한 나라는 미국, 중국, 영국, 프랑스, 캐나다 호주, 오스트리아, 싱가포르, 에스토니아 등 많은 나라가 있다. 미국이 가장 적극적인 나라로 재판 후 보호관찰, 가석방 뿐 아니라 피고인의 형을 정하는데도 인공지능을 도입하고 있다. 현직 부장판사 오세용 저 "인공지능의 시대 법관의 미래는?"에서 우리나라 현직 판사 26명중 23명이 인공지능이 법관의 임부를 일부 또는 전부 대체할 수 있다고 하였다. 설문에 참여한 현직판사 88%가 인공지능이 판사를 대체할 수 있다고 대답했다, 이것만 도입해도 사법부에 대변혁이 일어날 것이다. 판결에 억울한 사람이 없어지고 몇 년씩 걸리던 기간이 몇 일로, 재판의 건수, 고통과 비용이 현저히 감소될 것이다.

나아가 판사 임용체제를 대법원장 임명이 아니라 민선제로 바꾸어 민주화할 필요가 있다. 유럽의 예를 보자면, 독일은 16개 주(Bund)가 각기 독립 국가 같은 위상을 갖는 분권 체제의 나라이다. 각 주는 각기 고유한 헌법과 대법원 등을 갖추고 있다. 그 법원에서는 판사와 검사를 투표로 뽑는다. 출마한 후보 중에서 다수의 표를 얻은 사람이 당선되고, 다른 선출직처럼 임기제로 직에 임한다. 재임용 시에는 수사, 영장 청구, 판결 불복 등에서 드러나는 실적을 참작한다. 미국에서도 지역의 검사장 등은 주민투표로 민선한다.

국회 법사 위원에 억울한 사람들이 청원하여 국회 심의를 거쳐서 탄핵해야 국회가 사법부를 견제하는 진정한 3권분립이 이루어질 수 있을 것이다.

군사법원 및 군사검찰은 민간 조직으로의 편입을 시행해야 한다. 현재 국방부 조직 내에 있는 군사법원, 군검찰을 국방부 외부의 사법기관에 편입하여, 내외부로부터 군 조직을 통해 들어오는 압력의 영향을 받지 않도록 조치할 필요가 있겠다.

전관예우와 재판을 이용한 변호사의 호객행위

민사 형사 재판을 막론하고 재판에서 이기려면 막대한 비용을 들여 전관예우 받는 변호사를 선임해야 한다고 한다. 돈 없는 서민은 그런 변호사를 고용하는 것이 불가능하다. 김앤장 등 굴지의 법률사무소는 지검장, 고검장, 지방법원장, 고등법원장 등, 공직에서 바로 퇴임한 사람들을 고용해서 재판의 향방에 영향을 미치는 것이다. 전관예우는 '유전 무죄 무전 유죄라'는 말로 이어진다. 돈이 없어서 능력이 있는 변호사를 쓰지 못하면, 패소한다는 뜻이다. 흔히 재판의 승소 여부가 논리가 아니라 돈과 조직의 힘에 의해 좌우되고 있다.

필자는 증권회사의 난매에 관련하여 해당 업체를 고소하여 재판한 적이 있다. 지점장이 너무 심하게 난매해서 증권회사의 감사실에 연락한 결과 보상해 주겠다는 답변을 들었다. 증권회사에 제소하여 받으려 하였으나 지점장이 찾아와 손해에 대해 변제하겠다며, 자신의 이름으로 각서를 쓰고 살려 달라고 사정을 하는 바람에 당시엔 일단 연락을 보류했다. 하지만 약속을 지킬 것이라는 가망이 없어 이후 회사를 상대로 고소해 재판을 하게 되었다.

1심 재판에서는 내가 이겼는데, 회사 측에서 항소했다. 2심에서는 회사가 승소했다. 그런데 나는 재판이 엉터리라는 것을 알았다. 변호사가 상고를 권유했지만, 본인은 강력하게 거부했다. 하지만 변호사가 임의로 상고했고, 결과는 예상대로 필자가 패소했다.

빤히 결과를 알면서 왜 상고를 권유한 것일까? 필자 소견으로 짐작하건대, 호객행위가 아닌가 하는 의심도 한다. 1심 재판에서 필자가 대번에 패소하면, 끝이 나버리니, 1심은 필자가 이기고, 2심은 회사가 이기고, 3심은 필자가 패소하게 만들어서, 변호사 수임료를 3번 부담하게 하는 것이 아닐까 하는 것이다. 사실 같은 교회를 다니는 사람이었던 터라 믿고 맡겼는데 결과는 그랬다. 그때 필자는 "상고를 안 한다고 했는데 3심을 했다. 결과 3심 변호사비까지 필자에게 부담시켜서 당신이 임의로 3심을 했으니 당신이 부담하라"라고 강력하게 주장해서 결국 2심까지만 부담했다. 그 일을 통해 사법부의 불합리한 재판을 경험했다.

우리의 숨을 막는 검찰의 기소 독점권 및 기소 재량권, 식민지배와 독재의 잔재

검사의 기소 독점권 및 기소편의주의는 제거, 사인 기소권 인정해야

한국 검찰은 기소 독점권(헌법 제12조 제3항), 기소편의주의의 원칙에 입각하여 기소 여부에 재량권을 행사한다. 검찰의 이 같은 기소 독점권 및 기소 재량 주의는 세상에 어디도 보기 어려운 것이고, 더구나 검사의 기소 독점권을 헌법에 명기하는 경우는 우리나라가 유일하다고들 한다. 이 원칙은 박정희 독재의 소산 유신헌법에 의해 생겨난 것이다. 그것이 반세기가 지난 지금까지 수정되지 않고 계속되고 있다. 검찰 조직의 흑역사는 이미 일제 식민 지배로 거슬러 올라가는 것이지만, 해방 후 유신독재는 이 검찰을 일제 시기보다 더한 권력의 주구(개)로 만들었다.

이제는 검사의 기소 독점권을 폐지하고, 다른 기관에도 기소권을 갖도록 해야 하며, 개인도 기소권을 가져야 한다. 독일은 물론 프랑스 등에서는 사인(私人)도 소추(기소)권을 가지고 있다. 반드시 검사만 기소할 수 있는 것이 아니라, 검사가 안 할 때는 이해당사자인 개인이 직접

검사 대신 소추(기소)할 수 있다는 뜻이다. 이런 사인의 권한은 현실적으로 빈번하게 쓰이지는 않는다. 개인이 소추권을 가지고 있으므로, 그전에 검사가 알아서 처리하고 사인의 뜻을 어기는 일이 드물기 때문이라고 하겠다.

더구나, 한국과 달리 독일은 기소법정주의에 입각하며, 검찰이 법원에 소속되어 판사의 지시를 받는다. 법원조직법에 검찰의 조직과 업무가 규정되어 있다. 검사와 판사 간 관계는 서로 별건 수사 등 월권을 하지 못하도록 하는 견제 장치와 같다. 검사는 판사의 지시를 받지만, 판사는 검사의 기소 절차를 거친 후에 재판에 착수할 수 있다.

독일의 법원은 행정부 소속이다. 사법부가 행정부에 소속되어 있는 독일은 3권이 아니라, 2권 분립의 나라이다. 독일 연방대법원에는 연방대검찰청이 있고, 주(州 Bund)고등법원에는 주고등검찰청이 있으며, 지방법원에는 지방검찰청, 구검찰청 등으로 조직되어 있다. 검찰은 법정기소주의에 입각하여 형사절차상의 소추권을 행사할 뿐이다.

법무부 장관은 검찰 사무의 최고 감독자로서 일반적으로 검사를 지휘 감독하고 구체적인 사건에 대하여는 검찰총장만을 지휘 감독한다. <검찰청법 제 8조>라고 되어 있다. 개별 검사는 독립적일 수 없고 상관의 지시를 받아야 한다. 따라서 검찰권은 법원에 법적 판단을 요청하는 기능에 그쳐야 한다.

반면, 우리나라의 검사는 재량권을 가지고 마음대로 한다. 조사하고 싶으면 조사하고 원하지 않으면 조사하지 않을 수도 있다. 최근 대장동 사건의 조사를 보자. 명확하게 50억을 받은 것이 통장에 있는데도 검사들의 수사가 어찌 그리 느린지? 증거를 모두 없앤 다음에 소환하고 조사하겠다는 것인지? 이런 상황에서 야당의 대선 후보는 공정을 이야기하고 있다. 자신의 장모가 주범인데 주범은 조사하지 않고 종범들만 감옥살이를 하다가 그가 검찰을 떠나자 주범인 장모가 구속되었다. 또 야당 후보가 당선될 것 같아서인지 엊그제 야당 후보의 장모 주범이 무죄로 풀려나왔다.

신정아는 학벌 위조로 온 언론이 오랫동안 감옥에 갈 때까지 떠들어 대어 감옥에 갔다. 야당 후보 부인의 논문과 경력 위조에 대해서는 어떻게 그렇게 언론은 조용한지? 검찰은 왜 수사나 기소도 안하고 있는지? 어떻게 똑같은 사건을 놓고 전혀 다른 태도를 보이는 검사나 언론을 우리는 어떻게 보아야 하는지? 검찰은 잘하고 있는 것인지? 검찰의 가족은 처벌을 안 해야 하는가?

검찰 출신 김학의는 무죄, 강원랜드 채용 비리로 많은 사람을 부정으로 청탁해서 관계자들이 구속되었는데 검찰 출신 권성동 의원은 무죄에 가까워지고 있다. 같은 당 김성태 전 의원은 자신의 딸 한 사람의 취업을 청탁하고 총선에 출마할 수가 없었다. 권 의원은 많은 사람을 청탁했지만 검사 출신이고 김 전 의원은 검사출신이 아니라는 차이가 있으나 이것이 공정한 것인가? 부산 저축은행 사건도 왜 조사하다가 말았고 엘시티도 수사하다가 중단했다고 하는데 사실인가?

대장동 사건은 왜 이리도 느리게 수사하는가? 이런 검찰을 믿을 수가 있는가? 몰래 출국을 불법적으로 저지했다고 저지한 쪽이 조사받는다고 야단이다. 도둑을 불법적으로 잡는 것이 무엇인가? 만일 우리 소시민이 몰래 출국하려는데 불법적으로 저지하였다고 처벌받은 적이 있는가? 힘없는 사람들이 죄를 지었으면 순식간에 소환했을 것이다.

이런 사람들이 공정을 이야기할 수 있는가? 이런 사람들을 추종하는 사람들은 무슨 생각을 하고 있는지? 컴퓨터로 말하면 프로그램이 고장이 난 것이다. 대장동 사건에 관련된 사람들도 대부분이 검사 출신이다. 검사여서 대책을 세울 수 있는 시간을 주기 위해서 느린 수사를 하고 있는 것일까? 특별검사를 도입하자고 한다. 지금까지 특별검사가 조사한 것치고 국민의 속을 시원하게 조사한 적이 있는가? 국민을 놀리는 면죄부를 주는 작전이었다.

더 나쁜 것은 비비케이를 조사해달라고 제소했는데도 검찰이 신속하게 조사하지 않고 고소자를 도리어 감옥에 처넣어서 우리나라의 운명을 바꾼 것이다. 이는 반란과도 같고 피해를 가해자로 만든 자들을 처벌해야 하며 국가는 거기에 대해 배상을 해야 할 것이다. 검찰이 일을 안 하고 대선과 정치에 개입한 것이다. 그래서 검찰, 정말 무서운 것이다. 대통령 권한보다 막강한 것이다. 지금도 큰 비리가 있는 곳에서 검찰의 권한은 더욱 막강하다. 법무부 소속 행정공무원이라는 검사가 대통령 선거를 좌우하는 무소불위의 권력이다.

검찰은 의정활동에서 이권을 챙기며 아무 일도 안 하고 놀고 있는 의원들과 무엇이 다른가? 이제 일하지 않고 사욕만 챙기는 자들이 모두 물러날 때가 되었다. 애국자의 피를 빨아먹는 것과 같다.

우리의 법률 체계는 일제강점기의 법률이 대부분이다. 독립을 이루었으니 더 좋아졌을 거라고 생각할 수 있지만, 실상은 그 반대이다. 거기에 독재자들이 국민을 억압하기 쉽게 하려고 살을 붙여서 새로운 악법을 추가했다. 국가 조직 자체도 헌법재판소, 검찰의 기소권, 무슨 위원회, 국회의 힘을 빼서 유명무실하게 만드는 국회전문위원 등을 만들었다. 또 반공법, 국가보안법을 덧붙여 놓았다. 이런 법은 일제강점기를 거쳐 독재체제 유지를 위한 법률로써 도저히 민주적이라 할 수 없는 것이다. 기득 권 유지를 위해 독재의 나쁜 법률인 줄 알면서도 모른 척하고, 또 그것을 활용하는 것 같다.

대통령보다 더 힘이 센 검찰, 혹은 대통령이 정적 제거에 이용하는 검찰 조직과 그 권한을 약화시키기 위해, 먼저 검찰의 기소 독점권부터 없애야 한다. 필요에 따라 타 기관도 기소할 수 있도록 하고, 또 검찰이 안 할 때는 사인도 기소할 수 있도록 해야 할 것이다.

판사의 '양심'에 따른 재판 재량권의 부작용

판사의 양심에 따른 재판(헌법 제103조)
조항은 삭제해야 한다

헌법 제103조에 "법관은 헌법과 법률에 의하여 그 양심에 따라 독립하여 심판한다"고 한다. 그런데 '양심에 따른 재판'에 의해 판사에게 주어지는 재량권이 사법피해자를 양산한다.

이 규정은 제헌(制憲)헌법으로부터 유래하는 것은 아니다. 제헌헌법에서는 "법관은 헌법과 법률에 의하여 독립하여 심판한다"라고만 규정되어 있었다. 그러던 것이 군사쿠데타를 거친 박정희가 민간인으로 대통령에 입후보하여 당선될 즈음 감행한 제5차 개헌(1962년 12월 26일)에서 '양심에 따라'라는 표현이 추가되었다. 개헌으로 들어갈 당시 어떠한 이유로 이 표현을 삽입했는지에 대해서는 분명하게 밝혀지지 않았다.

반면, 독일이나 미국 등지에서는 '양심'이란 표현이 없다. 독일은 "법관은 독립이며 법에만 따른다"(독일 기본법 제97조 제1항)라고 규정하고 있다. 독일에서도 기본법 초안(草案)에서 법 이외에 '양심에 구속된다'는 표현을 포함할 것인지 여부가 논의되었다. 하지만 나치 시대에

'건전한 국민감정'이라는 법 개념을 통해 법의 파괴가 이루어진 경험을 고려하여 '양심에 따른다'라는 것이 법치의 파괴로 이어질 수 있다는 우려에서 '양심'이라는 표현은 사용하지 않고, 법에만 구속되는 것으로 규정하였다.

미국은 그 어느 나라보다도 사법부의 독립이 잘 보장되어 있는 사법부 우위의 국가이지만, 정작 헌법을 통하여 법관에게 직무상의 독립과 판결의 자유를 보장하는 별도의 규정을 두고 있지는 않다.

다만 일본이 우리와 가장 비슷한 입법 형식을 취하고 있는데, 일본국 헌법 제76조 제3항은 "모든 재판관은 그 양심에 따라 독립하여 그 직권을 행사하고, 이 헌법과 법률에만 구속된다"라고 규정하고 있다. 일본에서는 이 조항에 규정된 양심의 의미에 대하여 논의가 있었는데, 통상 '재판관의 개인적인 입장'이 아니라 '재판관으로서의 객관적인 양심'을 의미하는 것으로 이해한다.

우리 법학계에서도 일반적으로 이런 일본의 입장을 수용한다. "특별히 공정성과 합리성이 요구되는 법관으로서의 양심"(허영, 한국 헌법론), "법관으로서의 양심이라 함은 공정성과 합리성에 바탕한 법의 해석을 직무로 하는 자의 법조적 양심인 법리적 확신"(권영성, 헌법학 원론), "객관적인 법관으로서의 양심, 즉 법조적·객관적·논리적인 양심"(김철수, 헌법학 개론) 등으로 풀이하는 것이 그러하다.

'법'이라는 것은 객관적이고 일의적(一義的)이며, 외형적이고 가시적인 것을 그 본성으로 한다. 그래서 '양심(良心)'과 같이 주관적이고 다의적(多義的)이며, 심리적이고 잘 보이지 않는 실체는 법과 잘 부응하기 어려운 개념이다. 그래서 '재판관으로서의 객관적인 양심'이란 개념 자체가 애초에 성립하지 않는다. 법관이 양심을 핑계로 정치적 이념 구현하려 들면 법치의 종막을 초래한다. 그 법관 앞에 가는 모든 사건의 결과가 예측이 가능하다면, 그는 이미 판단자의 지위를 잃은 것이다. 그리고 그러한 태도가 법원 전체로 전염병(疫病)처럼 퍼져나간다면, 국민들은 법원에 대한 신뢰를 접을 것이다. (김태규 부산지법 부장판사) [월간조선 뉴스룸, 2020.2]

문제는 정치의 개입뿐 아니라, 사인에 대한 재판의 경우 정실, 뇌물 등 여러 가지 요인이 작용할 수 있다. 이것을 '양심'이라는 것을 내세워 자의적 판결을 정당화하는 근거가 될 수도 있다. 실제로 헌법 및 법률과 함께 양심을 지키는 것이 아니라, 전자는 완전히 무시하고 후자만 앞세우는 경우도 있다. 사법 피해자가 갖가지 불합리한 판결 과정을 고하여 법원에 항의서를 제출했더니, 다 무시하고, 한 줄로 답변서가 내려왔는데, "법관은 양심에 따라 재판한다"라는 것이었다고 한다.

이렇듯, 합리성을 갖춘 것인지 객관적으로 검증할 방법이 없는 '양심' 조항은 판사의 비리를 은폐하는 창구로 작용한다. 정작 문제는 '양심'이 오용될 경우에 대한 효과적 견제 장치가 없으며, 재판을 받는 이는 판사의 양심에 따른 재량권 앞에 무방비적 피해에 노출되는 것이다. 그래서 '공정성을 생명으로 하는 법관에게 법과 양심에 따라서만 재판하면 된다고 면죄부(免罪符)를 주었으나 정작 법관 스스로 최후의 관문

에서 양심이라는 쪽문을 통해 자신의 오염된 온갖 가치관을 등장시킴
으로써 재판의 공정을 침해한다면 법관의 직무상 독립을 보호하고자
했던 다른 모든 노력은 허사로 돌아간다'

　　(허영, 한국헌법론)[월간조선 뉴스룸, 2020. 2]

공직자의 공소시효를 없애면 공직 비리 줄어들고, 탄핵을 쉽게 하면 탄핵당할 사람이 줄어든다.

공직자의 비리는, '공소시효'를 없애야 한다.

지위 고하를 막론하고 온갖 공직에 따르는 비리에 공소시효를 없앤다면, 공권력의 부조리를 상당수 근절할 수 있을 것이다. 공직의 비리에 따른 이득은 유산으로 물려줬어도 회수 가능하게 해야 한다.

또 탄핵을 쉽게 할 수 있어야 모두 조심하게 될 것이다. 국회의원들이 당리당략으로 옥신각신하는 과정을 거치지 않고 탄핵을 쉬 할 수 있도록 하기 위해서는, 국회에서는 국민투표 시행법을 만들어야 할 것이다.

한 예로, 국민 청원권을 활용해서 국민 10만 명 이상 서명을 받아 국회에 제출하고 국회는 논의를 거쳐서 10일 이내에 국민투표 일정을 정하여 국민투표에 붙여서 찬성이 많으면 탄핵 되도록 해야 할 것이다. 대의 민주주의로 해결하지 않고 있는 문제를 직접민주주의로 해결해야 한다. 이것이 민초가 입법부, 행정부, 사법부, 헌법재판소와 검찰을 견제하는 방법이다.

행정부가 청와대와 대법원 판사들이 사법 농단한 사실이 밝혀져도 연루된 법관들이 제 식구 감싸기 재판으로 무죄로 풀려나고 있기 때문이다. 이것도 위와 같은 방법으로 국민투표로 결정하면 된다. 대통령과 대법원장도 국민의 뜻에 따라서 탄핵이 될 수 있다.

우리 정부 출범 이후 처음으로 법관 처벌에(헌법재판관) 황당한 일이 일어났다. 임성근 전 부장판사 탄핵 심판 청구 기각이라는 것이다. 우리나라의 법관들은 상식도 없는가? 국민의 대표기관인 국회가 결정한 사안을 헌법재판관이 가·부를 정한다는 자체가 어처구니없는 사건이다. 세계 어느 나라에 헌법재판소가 국회 머리채를 잡고 흔드는 곳이 있을까?

공기업 LH공사의 비리

링컨은 '정직은 최선의 정책'이라고 했다. 그러나 우리 사회에는 때로 "부정직이 최선의 정책" 같아 보인다. 그 수가 얼마나 되는지 가늠할 수 없으나, 공무원 봉급 받아서 자녀들 가르치고 생활하면서 빌딩들은 어떻게 사는지 모르겠다. 왜 아파트 원가를 공개하지 않는지?

공기업인 LH 공사가 무엇 때문에 생겼는가? LH 공사는 한국토지주택공사법에 의하면 토지의 취득, 개발, 비축 공급, 도시의 개발, 정비, 주택의 건설, 공급, 관리 업무를 수행하게 함으로써 국민 주거생활의 향상과 국토의 효율적인 이용을 도모하여 국민경제의 발전에 이바지함을 목적으로 한다. 왜 부동산값을 올렸는지 살펴보았다. 법문에 보면 양질의 주택을 최저가로 공급한다는 말이 없다. 도시의 개발은 또 무엇인가? 아무 생각 없이 국민이 원치 않는 쪽으로 집행한다.

우리 식량을 생산하는 기름진 곡창(평야)의 한가운데 집단 주택을 짓는 것이 생각이 있는 개발인가? 평야는 한번 망가지면 회복할 수가 없다. 왜 수도권에 아파트를 짓는가? 주택이 부족한 것이 수량만 채워서 해결될 일인가? 이런 것을 보면 가슴이 갑갑하고 화가 치민다. 앞으로 식량이 무기화될 때는 어떻게 할 것인가? 인구가 이동하면 부족한 아파트 수요를 충족시킬 수 있다.

우리 농민에게 노후 보장보험을 들어 주어 조그마한 땅이라도 더 경작하게 해서 식량 자급으로 식량 무기화에 대비해야 할 때가 아닌가?

대통령을 비롯한 정부 관료들과 국회의원들은 무엇을 하고 월급을 받는가? 정책이란 한 가지만 가지고 이루어지지 않고 여러 가지가 복합적으로 얽혀져 있으니 복합적으로 분석해서 시행할 때에 환경에 어떤 결과가 나타날 것을 평가한 다음에 시행해야 한다. 예를 들어서 인구가 줄어드는 이상으로 수도권 대학 정원을 감축하면 수천억 원 내지조 단위씩(?) 잉여금을 보유하고 있는 대학이 지방으로 내려가게 될 것이며 학생과 함께 학부모가 이동하기 때문에 아파트를 더 짓지 않아도되는 것이다. 또 대학 무시험제를 도입하면 수도권으로 인구가 집중할필요가 없을 것이다. 이것은 장관과 대통령의 역량이라고 할 수 있다. 모든 정책을 토론하고 국민에게 알리고 국민투표로 결정한다면 정책실패가 훨씬 줄어들 것이다.

공사의 자본금을 40조로 한다는 데 원가 공개하지 않고 폭리를 취한 LH 공사는 몇 배로 자산을 늘려 놓았는지 공개하길 바란다. 국회의전문위원이 몇00 명인데 그들은 또 무엇을 하고 있는가? 그 분야의 박사들이 그리 많은데 국회의원의 보좌관은 어찌 그리 많은지? 몇 명만남기고 줄이길 바란다. 그렇게 비싸게 아파트를 팔아도 경영이 부실한것은 도둑이 많아 예산이 줄줄 새기 때문이다. 경영이 부실하면 경영평가를 해서 규모를 줄이고 경영 효율을 높여야 한다. 그래도 마찬가지이면 도둑이 축내는 것이다. 아파트 가격이 올라간 이유는 LH 관계자 및 친인척들이 계획을 세우고 시행되기 전에 정보를 가지고 미리 사두어 부지를 비싸게 팔고 그들이 고물을 떼어먹기 때문이다. 그뿐인가? 오래전 일이다. 어찌된 일인지 도로를 확장하는 사업에서 1천만 원 정도의 도로 안쪽의 땅을 포함해서 3천만 원씩 보상해 주었다는 것인데?

LH 공사법대로라면 오르기 전 공시가격으로 토지를 수용해야 할 것이다. 땅장사를 하는 LH 공사가 적자를 낼 이유가 있는가? 아파트를 직접 짓지도 않는데 많은 직원은 필요가 없다. 그런데 자본금의 3.415 배인 136조6205억 원의 부채를 가지게 되었다는데 감사원은 무슨 감사를 했고 국회와 건설부는 무엇을 하고 있었단 말인가. 그렇게 역할을 제대로 못하면서 부채를 늘인다면 폐지해야 할 기관이 아닌가?

무슨 기관이든지 설립 당시의 목적을 달성할 수 없거나 LH처럼 유지에 많은 비용이 소요된다면 당연히 즉시 폐지하고 부정이 있는지 수사해야 할 것이다.

국정뿐 아니다. 지방정치도 돈을 많이 쓸 수 있는 사업을 잘 기안해 오는 직원이 유능한 직원일 것이다. 예산을 적게 들이고 시민들의 삶을 편하게 해야 할 것인데, 필요 없는 공사를 해서 예산을 낭비한다. 모든 공사가 시작된 후 공사비가 낮아지는 경우가 있는가? 왜 공사비는 반드시 올려야 하는가? 왜 모든 공사가 설계 변경을 반드시 하는가? 충분히 계획을 세워서 설계 변경과 추가 비용이 들지 않아야 될 것이 아닌가? 설계가 변경되면 감사원의 감사를 받아야 하는 것이 아닌가? 내부에서 요식행위인 건설 위원의 심사로 어물쩍 승인하고 넘어가서는 안될 것이다.

LH 비리를 통하여 모든 공공기업의 경영 적정성 평가가 이루어지고 부조리한 회사는 모두 수사해야 할 것이다. 매년 적자를 낸 기관은 무조건 경영평가와 감사를 받아야 하고 수사를 할 수 있도록 법적인 장치를 마련해야 할 것이다.

이런 경우 감사원에 감사를 의뢰해야 할 것 같지만, 요즘 보면 감사원도 권력에 휘둘리는 듯, 절차를 어겼다고 국정감사에서 혼쭐나는 것을 목도하게 된다. 감사원도 다시 감사받는 대상으로 들어가야 할 것 같다.

부정 취업청탁 –
국가 인사위원회

권성동과 김성태

　국민의힘 사무총장이자 윤 후보 핵심 관계자로 언급되는 권성동 의원은 교육생 선발 과정에서 13명을 채용 청탁한 혐의, 강원랜드 청탁을 들어주는 대가로 자신의 비서관 채용을 청탁했다는 혐의, 강원랜드 사외이사 채용 과정에 외압을 행사했다는 혐의, 그리고 그 댓가로 의원 보좌관을 채용했다는 등의 혐의를 받고 있다. 보도에 따르면, "강원랜드 채용 비리는 1차 교육생 선발 인원 320명 중 89%, 2차 교육생 선발 인원 198명 전원이 취업 청탁 대상자로 밝혀지고 최흥집 전 강원랜드 사장, 염동열 전 의원 등이 징역형을 선고받는 등 큰 충격을 줬다"라고 한다.

　반면, 김성태는 딸 한 사람의 청탁으로 문제가 되자, 정계를 은퇴하였다. 당시 언론에서는 "김성태 전 의원은 나쁜 청탁, 권성동은 착한 청탁이냐"며 "윤 후보는 권성동 사무총장의 강원랜드 청탁 의혹에 대한 입장을 밝히라"고 요구했다. 김성태와 권성동은 차이가 있다. 13명을 청탁한 혐의의 권성동은 검사 출신이고, 딸 하나 청탁한 김성태는 검사 출신이 아니라는 점이다.

당시 대선후보였던 윤석열은 '강원랜드 채용 청탁' 의혹에 연루된 권성동을 핵심 관계자로 기용했다. 필자가 알기로, 공소시효가 지났다고만 하고, 미안하단 사과 한마디 없었다. 공직자의 비리는 공소시효가 없어야 한다.

필자는 국가 인사위원회에서 기업이 필요한 가이드라인을 가지고 2배수를 뽑아서 거기에서 선별된 사람 중에서 기업이 선발권을 행사하면 어떨까 생각된다.

무분별한 예산 씀씀이와 복지 사각지대

예산 감시 예산감시 측정 지표 작성

내 친구는 경제기획원에 근무할 때 12시 넘어서 퇴근하고 7시까지 출근하여 항상 피곤을 달고 살았다. 그뿐 아니라 국회 감사 기간이나 예산 국회가 다가오면 친구가 쓰러지지 않을까 걱정이 되었다.

그럼에도, 필자가 보기에, 기획 재정부의 예산이 정확하고 합리적으로 운영되지 못하고, 적절한 배분과 계획 없이 주먹구구식이 되고 있다. 국회 예산심의도 정확한 심의 없이 짧은 기간 동안 주먹구구이다. 결산 때가 되면 각 부처의 새 가구를 모두 버리고 새로 사게 되고 기름이 많은 곳은 기름을 나누어 주고 쌀이 많이 남는 곳은 떡을 해서 나누는 등 예산을 집행하기 위해서 안간힘을 쓴다. 12월이 가까우면 곳곳에 땅을 파고 길가의 인도는 보도 불럭을 모조리 새것으로 바꾸는 것이 그 반증이다. 그야말로 예산이 줄줄 샌다.

대안은 기획재정부에 막대한 인원을 동원해 부처별 예결산을 꼼꼼히 점검하여 예산측정 기준을 만들면 간단할 것으로 생각된다.

지방자치제를 기초를 하원, 광역의회를 상원으로 하여 예산을 심의하면 예산이 투명하고 중요한 예산이 우선시되며 부정이 없어질 것이다.

국가의 예산을 내 봉급을 쓰듯이 아껴서 생활이 어려운 곳이나 복지 및 장기적인 투자에 써야 할 것이다. 영국 케임브리지대학 장하준 교수는 "자린고비 경제 그만하고 복지재정을 대폭 늘리라"라고 한다. 우리나라의 경제 운용은 국가 비상사태라고 한다. 장하준에 따르면, 우리 경제는 OECD에서 한국은 36개 국가 중 1인당 소득 기준으로 23등인데, 비상사태는 지금 진단하고 예비함으로 재앙이 닥치지 않도록 해야 할 시기는 '지금'이라는 것이다.

한국의 경제성장률은 10위권이라고 한다. 그러나 경제 수준을 이야기하려면 1인당 소득을 봐야 하고, 성장률을 언급할 때는 인구증가율을 함께 고려해야 한다. 덴마크의 1인당 소득은 우리의 2배지만, 인구가 500만 명이기에 경제 규모는 5분의 1밖에 안 된다. 2010년 이후 독일은 총성장률로만 보면 연평균 1.8%, 우리는 3%이니까 우리가 훨씬 잘하는 것 같지만 1인당 소득성장률로 하면, 우리는 인구증가율 0.5%로 2.5%, 독일은 인구증가율 마이너스 0.2%이기 때문에 2%이다.

2%와 2.5%는 큰 차이가 아닌 것 같지만, 성장만이 주요 지표가 아니다. 더 큰 문제는 지금 우리 상황이 얼마나 안 좋은가를 얘기하는 사회적인 지표이다. 단적으로 OECD 국가 중 자살률 1위이다. 1995년까지만 해도 자살률이 OECD 평균 이하였는데 지금은 평균의 3배다. 출산율은 세계 최저이다.

사회적인 지표가 나빠진 이유가 경제 때문이 아니고 복지가 안되어 그렇다. 옛날엔 경제성장 속도가 빨라 일자리도 많이 생기고, 봉제공장이 문 닫으면 전자 공장 가서 일하는데 4~5주 재교육받으면 되었다. 지금은 필요한 기술이 고급화돼 철강·조선업에서 일자리를 잃은 노동자들이 반도체 같은 곳으로 옮기고 싶어도 금방 갈 수 없다. 실업이 점점 더 무서워지고, 제대로 된 직장에서 밀려나면 갈 데가 없기에 치킨집을 하게 된다. 이 모두를 전체적인 한 묶음으로 봐야 한다.

비상사태라는 발언을 하게 된 것은 최근 중국이 무섭게 추격해오고 있기 때문이다. 반도체도 중국이 국책산업으로 밀고 있어서 시간문제이다. 인공지능, 나노기술에선 우리보다 훨씬 앞서 있고, 전체적인 경제 수준보다 첨단기술이 발달해 있다. 우리는 답보상태이기에 지금 틀을 완전히 다시 짜지 않으면 5년, 10년 후에는 정말 어려워질 수 있는 것이다. 어느 한 정부가, 한두 가지 잘못해서 이 상황을 맞은 게 아니다. 우리 경제가 신자유주의적으로 구조화돼서 그렇다. 그 때문에 투자도 떨어지고, 고용도 불안해지고, 국민에게 앞날이 없는 나라가 된 지 벌써 20년이다. 이를 보살피지 않고 또 5년이 흐르면 돌아올 수 없는 길에 들어서게 된다. 투자, 고용, 복지의 새 틀 짜지 않으면 5년 뒤 우리나라는 돌이킬 수 없는 길로 빠지게 된다.

장하준은 경제의 목표는 다 같이 행복하게 잘 살자고 하는 것이며 이제 한국도 '좋은 사회란 무엇이며 어떻게 만들 것인지를 모두 진지하게 생각할 때이다. 자린고비 경제학'을 넘어 복지제도 확대로 사회안전망을 갖춰야 한다라고 한다.

신자유주의와
재분배 담론

불평등 극복 방안

1980년대 말부터 한국 엘리트들 가운데 미국 모델을 바라는 사람들이 많이 나왔다. 자기 부처의 의무가 경제계획인데 경제계획은 나쁘니 없애자는 것이다. 거기에 문민정부가 들어서니 기업들이 적극적으로 신자유주의 체제를 추진한다.

OECD도 가입하고, 기획원도 폐기하고, 경제 5개년계획도 없애고, 산업정책 거의 폐기하고. 그런데 묘하게도 소위 운동권 출신들이 동조했다. '산업정책은 군부독재가 하던 파쇼정책'이라는 식으로. OECD 가입 조건 중 하나로 자본시장을 상당히 개방하고, 해고를 쉽게 하는 의제도 들여왔다.

그때 특히 전경련(전국경제인연합회)에서 주주자본주의 논리를 들여와 정부가 기업을 간섭하면 안된다라는 주장을 했다. 그 과정에서 외환위기가 터진다. <국가부도의 날>이라는 영화에서 재경부 차관으로 나오는 사람을 통해 잘 그렸다. '해고도 쉽게 하고, 구조 조정도 쉽게 하는 시장주의를 퍼뜨려야 하는데 노동계, 시민단체에서 반대해 못하고 있다. 지금이 기회다'라는 것이었다.

뒷얘기지만 국제통화기금(IMF)이 깜짝 놀랐다. 저항할 줄 알았는데 전혀 다르게 신자유주의 체제가 외환위기 이후 확립되었다. 그 이후 정부들이 그 질서로 간 것이다. 물론 차이는 있지만, 이명박·박근혜 정부는 완전히 극단적으로 나갔고, 노무현 정부는 FTA하고 동북아 금융허브를 한다면서 김대중 정부보다 더 우파적으로 나갔다.

그래도 이 두 정부는 빌 클린턴이나 영국의 토니 블레어, 나중에 버락 오바마가 말한 제3의 길하고 비슷한 걸 하게 된다. 즉 경제를 시장에 맡기는 것이 좋은데, 그러면 희생자들이 나오니까 그들을 도와줘야 한다는 논리다. 골수 신자유주의는 '희생자 봐줄 필요 없다, 그들이 못나서 그렇다' 하는 거고. 규제를 완화하고 경제를 대자본에 맡겨놓는 것은 똑같다.

그로 인해 지금 미국, 영국, 프랑스 등에서 나타나는 현상이 정치적 반동이 미국은 극우보수에 표를 주고, 프랑스는 무산자의 저항으로 노란 조끼 입고 나섰다. 가히 세계적인 추세다. 한국은 특수성이 있어 아직 그렇게는 안 갔지만 20년 동안 신자유주의가 왔다 갔다 하면서 그쪽으로 밀려가고 있다. 문재인 정부에서 확실한 좌파정책을 하지 않으면 결국 반엘리트, 반동이 나온다.

신자유주의는 굉장히 반민주적인 체제이다. FTA나 투자협정을 맺어서 각국 정부가 하는 일을 국제조약으로 제약하고, 중앙은행이 됐건 규제기구가 됐건 많은 기관을 정치적으로 독립시키려고 한다. 우리는 옛날에 독재 권력이 너무 개입했으니까 결정기관의 정치적 독립이란 말이 좋게 들리지만, 사실은 민주주의를 무력화시키겠다는 것이다.

물론 자유무역이 수준이 비슷한 나라 사이에선 서로 좋은 경우가 있지만, 수준이 다른 나라 사이에서는 선진국이 이익이다. 후진국은 새 산업을 개발할 수가 없기 때문이다. 노무현 정권 때 미국과 FTA 한다고 했을 때, 필자(장교수)는 우리가 지금 미국 수준이 되는 나라가 아니기에 반대했다.

어떤 정부든지 기업의 이윤을 앞세우지만, 호주는 미국하고 FTA 할 때 그 조항을 빼기도 했다. 우리는 투자자-국가 분쟁해결 제도(ISDS)는 고사하고 관세만으로도 불리하다. 선진국들은 평균 공산물 관세가 3%이고 한국은 7~8%이다. 우리는 많이 내주고 그 쪽한테는 조금 받는 것이다. FTA 없을 때도 수출 잘했다.

우리는 지금 FTA 폐기 쪽으로 나가야 한다. 하지만 특히 미국하고는 국방이 얽혀있어 족쇄를 스스로 채워놨으니 다음 단계에서는 뭘 해야 좀 낫겠는가 그런 생각을 해야 한다.

다시 산업정책을 정립하는 것이 중요하다. 미국은 자유방임주의, 개인의 기업가 정신으로 성공했다고 알려졌지만, 현재 미국이 앞선 분야 대부분은 1950년대부터 정부가 국방연구, 보건연구 명목으로 돈을 쏟아부은 곳이다. 컴퓨터, 인터넷, GPS, 터치스크린 다 미 국무부에서 개발했고, 반도체는 미 해군에서 개발했다. 아이폰 기술의 99%가 국방연구에서 나온 것이다. 그 기초기술을 기업이 가져다 발전시킨 것이다. 미 정부의 엄청난 개입이 없었으면 실리콘밸리도 생길 수 없었다. 미국 제약산업도 연구자금의 30%가 정부에서 나온다.

명분은 보건 연구이다. 미 전역에 있는 국립보건원에서 세금으로 연구하면 제약회사들이 그냥 가져다 상용화시킨 것이다. 미국 정부처럼 기초연구에 투자하고 마음껏 쓰도록 간접적으로 보조하는 방식이 있고, 독일 같은 경우는 중앙정부의 산업정책은 많지 않지만, 지방 정부들이 우리의 산업은행 같은 금융기관을 갖고 있다. 지방 정부하고 지역은행, 지역대학, 그리고 프라운호퍼라고 반관반민 단체인데 연구기관으로 정부에서 기본적 돈은 주고 나머지는 기업 연구용역 해주며 운영하도록 하는 기관들 몇십 개가 있다.

한국 정부도 R&D(연구·개발) 지원을 많이 한다. 다만 지원대상이 분산돼 있고, 한 해의 평가로 다음 지원 여부를 결정하는 것은 혁신 과정을 잘못 이해하는 것이다. 혁신은 사기업이 하든, 과학자나 정부가 하든, 열 개 시도해서 한두 개 크게 맞으면 된다. 안전한 것만 하면 그게 무슨 혁신인가?

개념을 바꿔야 된다. 컴퓨터도 유명한 얘기가 있다. 1958년인가 토머스 왓슨 주니어 IBM 대표가 국회 청문회에서 앞으로 예상되는 컴퓨터 판매 대수가 5대라고 했다. 그때는 컴퓨터를 살 수 있는 곳이 미 육군, 해군, 공군, 국무부 이런 데밖에 없기 때문에 그냥 소련과 체제 경쟁에서 군사적 우위를 점유하기 위해서 시도했던 것이다. 나중에 그 기술이 세상을 바꿨지만, 그때 이윤만 생각했으면 문 닫았어야 할 산업이었다.

사회안전망이 있어야 과감하게 직업도 바꿀 수 있다. 안전망이 없으니 공무원만 되려고 한다. 그래서 핀란드·스웨덴 같은 곳은 구조 조정에도 저항 별로 없다.

경제는 수단이고 목표는 다 같이 행복하게 잘 사는 것이다. 자살 덜 하고, 서로 반목하지 않고, 직장 안정되고, 복지제도도 잘돼 있어 잘리는 것 걱정 안 해도 되는 의미에서 경제는 수단이라고 생각한다.

문제는 그 수단으로 쓰는 경제조차도 여러 목표를 갖고 할 수 있다는 것이다. 사모펀드가 하는 일이 무엇인가? 회사 사서 이윤 확 올린 다음 파는 것이다. 한국의 제일은행이 좋은 예이다. 뉴 브리지캐피털이 사서 지점들 닫고, 사람들 자르고, 일 많이 시켜 이윤 왕창 올리고, 그 과정에서 직원들은 뼈 빠지게 고생하고, 그렇게 해서 이윤을 많이 냈기에 스탠다드차타드 은행에게 되판 것이다. 그런 식으로 이윤 내는 경제도 있고, 독일같이 10년, 20년을 보고 이윤을 내는 경제도 있다. 한때 독일에는 기업이 같은 지역에서 7년 인가 10년 이상 사업하면서 종업원을 안 자르면 상속세 면제해주는 법도 있었다. 그렇게 기업이 지역사회에 초석이 되고 그 사회와 얽혀 같이 살게 하는 것을 목표로 삼기도 한다.

옛날엔 밥 먹고 사는 것이 중요하여 '어떤 수단을 써서라도 성장을 더 하자'라고 생각했다. 정당화는 아니지만 이해할 수는 있다. 지금은 국민소득 3만 달러 나라에서 '좋은 사회를 만드는 게 뭔가'를 생각해봐야 한다. FTA 많이 했다고 FTA 강국이다. 성장률 조금 높다고 우리나라가 잘한다? 과연 우리가 '어떤 사회를 만들어야 하느냐'에 대해 제대로 얘기해본 적이 있는지 묻고 싶다.

그 점에서도 논의되는 문제가 불평등이다. 노동권, 최저임금제, 그 다음에 복지제도 이런 것들이 사회안전망이다. 안전망이 있어야 과감하게 새로운 선택도 하고, 직업도 바꿔보는데 우리나라엔 지금 그게 없다. 다들 공무원 되려고 하는 게 안전을 찾는 거다. 장 교수는 최저임금제도를 사회안전망으로 봤다. 대학교육을 받은 최저임금을 받는 사람이 없는 중년들이 최저임금에 왈가왈부했다. 정작 노동하는 당사자는 목소리를 내지 못하고 있다.

최저임금제에 찬성하는데 우리나라에서 최저임금제가 문제가 되는 중요한 이유 중 하나는 자영업자 비율이 엄청 높다는 것이다. 우리는 25%이고 미국 이런 데는 6%밖에 안 된다. 노동권, 최저임금제, 그다음에 복지제도 이런 것들이 사회안전망이다. 사회안전망이 없기에 치킨집 사장을 자본가로 만들어 놓고 너희도 자본가와 똑같이 행동하라니까 불만이 나온다. 또 한 시간에 1000원, 2000원 더 받는게 중요한 사람들은 목소리가 없고 위쪽에 있는 사람들은 1000원, 2000원 더 받으려고 뭘 그러냐 그러든지 치킨집 사장이 1000원 더 줘야 한다. 그런데 1000원을 더 주면 사업이 위험할 수도 있다. 결정권이 있는 사람은 현실과 괴리돼 있기에 잘 보지 못하는 것이다. 1950~1960년대 스웨덴 사민당 구호 중 하나가 '안전하다고 느끼는 사람들은 대담할 수 있다(Secure people dare)'였다. 핀란드, 스웨덴 같은 데는 실업급여가 최종 월급의 60~70%이다. 2년 동안 받을 수 있고, 재교육해주고 직업 알선하고, 우리나라 입시 코디 붙듯이 해준다. 그러니 이들은 구조 조정이나 기술혁신에 저항이 별로 없다. 미국 같은 데는 90%가 노조 가입이 안 되었고, 우리도 노조 가입률 10%이다. 우리랑 미국이랑 OECD에서 최저다. 그렇지만 두 나라 다 조직된 10%는 직장을 잃으면 세상이 끝나니 목숨을 걸고 싸운다.

대기업 회장이 사망하면 상속세를 내고 지분율 낮아져 만약 투기세력에게 넘어가면 국민이 10년, 20년 고생한다. 대기업 지배구도가 이끄는 산업 내 불평등 문제가 당장 이변이 일어나면 위기로 갈 수 있다는 뜻으로 이해했다. 이것은 해석의 여지가 너무 넓다.

회장이 사망하면 상속세를 내야 하는데 그 과정에서 지분율이 떨어지면 그룹 구조가 와해 될 수 있다. 그냥 자본시장에 맡겨놓으면 뉴브리지가 제일은행 해먹은 식으로 날아갈 확률이 높다는 거다. 그렇게 되면 국민경제에 안 좋겠다는 생각에, 주주자본주의 1주 1표 논리를 따르지 않고 문제를 해결하자고 차등의결권제를 내놓으며 예를 든 것이다. 너무 답답하니까 차라리 국유화를 해라, 우리 국민의 피땀을 왜 남 주냐 하는 것이다. '외국 투기자본에 넘겨주느니 삼성 특별법이라도 만들어 아예 다른 방식으로 관리하자'라고 한 것이다.

이씨 집안, 정씨 집안을 봐주자는 얘기가 아닌데 양쪽에서 곡해한다. 친재벌론자들은 사유재산을 침해하려고 하니 불순분자라 하고, 재벌개혁론자들은 주주자본주의 논리에 어긋나니 친재벌론자라고 하고, 소액주주운동이 미국 같은 데서는 펀드 매니저들이 하는 운동인데, 한국에서는 사회운동으로 승화시켜 중요한 일을 했다.

그런데 이 방식이 성공하다 보니 재벌을 개혁하는 유일한 논리처럼 됐다. 그게 아니라는 거다. 스웨덴 제일의 재벌인 발렌베리 집안이 통제권을 갖는 기업의 시가총액이 스웨덴 전체 상장기업 시가총액의 반이다. 한 나라 기업의 반을 한 가문이 가진 것이다. 차등의결권 때문에 가능하다. 미국도 구글, 페이스북 이런 데서 차등의결권을 쓴다. 저커버그가 가진 주식은 28%이지만 차등의결권이 있어 의결권을 기준으로 하면 50% 이상을 그가 통제한다. 많은 나라에서 쓴다.

다시 스웨덴으로 돌아가서, 한 가문이 6대째 주요 기업의 절반을 통제하는데 그 면에서 보면 그렇게 불공평한 사회가 어디 있는가? 그러나 스웨덴은 노동권을 강화하고 복지국가를 이뤄 세계에서 제일 평등한 나라 중 하나를 만들었다. 삼성, 현대 그 기업들이 투기자본에 넘어가면 국민들이 10년, 20년 고생한다.

현재 대기업 중심 경제는 여러 면에서 불평등 문제의 핵심이 되고 있다. 재벌 때문에 불평등이 나온다는 것은 문제 있다. 왜냐하면 우리나라 상위 1%는 상대적으로 다른 나라들보다 잘살지 않는데 상위 10%는 잘사는 편이다. 문제는 상위 10%지, 상위 1%가 아니다. 중소기업이 착취당한다고 하지만 그 중소기업주들은 노동자 착취 안 하는가? 재벌이 권력을 남용하기 때문에 당연히 규제해야 하는데, 그것만으로는 부족하다. 기본적으로 누진세로 많이 걷어 복지제도를 확대해 소득재분배를 확실히 해야 한다. 예를 들어 소득재분배를 하기 전 불평등도가 프랑스, 독일, 스웨덴 이런 나라도 미국과 비슷하다. 자기가 번 돈 세금 내고 정부 복지수당 받기 전 소득만 갖고 계산하면 불평등한 것이다.

우리나라는 OECD 국가 중 세금 내고 복지 지급하기 전, 불평등도로 보면 제일 평등한 나라다. 그런데 복지는 OECD에서 멕시코 다음으로 꼴찌다. 복지 지출도 재분배 성향이 높지 않아서, 재분배하고 나면 평등도가 OECD 평균 이하이다. 우리는 그동안 규제를 통해 불평등을 낮춘 것이다.

우리나라의 규제는 소농 보호, 골목상권 보호, 중소기업 고유업종, 그게 아무것도 아닌 것 같지만 굉장한 영향이 있다. 그런 보호가 있어서 시장소득만 보면 다른 나라에 비해 훨씬 평등하다. 복지는 OECD 평균 지출이 국내총생산(GDP) 대비 21%인데 한국은 10% 좀 넘는다.

신자유주의 모범생이라는 칠레보다도 작다. 미국이 복지 안 한다고 하지만 미국의 복지 지출이 GDP 대비 19%, 20% 된다. 유럽은 대부분 28%, 29%이고. 불평등 문제를 획기적으로 바꾸려면 복지를 확대하는 수밖에 없다. 이제 FTA 하고, 재벌들이 계속 성장하려면 규제 풀라고 하면서 점점 무너지고 있다. 골목상권까지 무너지면 걷잡을 수 없다.

복지와 기본소득의
상관관계

장하준은 복지 없애고 기본소득만 주는 것에 100% 반대다. 복지는 민영화하면 비용 올라가 대규모 구매 때 값이 싸지는 것 누진세 걷어 '소득재분배'해야 된다.

카를로타 페레스 선생이 제안한 기본소득(UBI)은 잘 봐야 하는데, 하이에크, 프리드먼 같은 사람들의 주장은 딱 기본소득만 주고 복지는 다 없앤다는 것이다. 실리콘밸리의 많은 기업이 영향을 받았다. 지금 복지가 잘된 선진국들은 사실상 기본소득 제도가 있다. 기본적인 생활을 보장하는 것이다. 다만 아동수당, 실업수당, 주택 보조 등 다 조건에 묶여 있으니까 일부 좌파에서 '그런 거 복잡하고, 경제구조도 바뀌어 파악하기 힘드니 일괄적으로 현금화해서 주자'고 한다.

우파식으로 세금은 국가가 강탈해가는 걸로 생각하면 안 되지만, 세금으로 공동 자금을 만들려면, 좋은 의견을 모아야 한다. 특히 교육, 보건 분야는 복지제도를 민영화하면 비용이 올라간다. 복지는 공동구매이다. 국민 의료보험을 하면 의료비가 싸지는 이유가 의료보험을 대규모로 구매해서다. 기본소득을 줘서 사람들이 인력을 마음대로 쓸 수 있는 부분을 늘려주자 정도까진 찬성인데, 국가에서 탁아시설까지 공동으로 공급하자는 것이다. 그래야 비용 대비 질이 보장된다.

현 정권 이전 적어도 한동안 우리나라가 OECD 중에서 재정이 제일 탄탄한 나라 중 하나였다. 매년 재정 흑자에 GDP 대비 국채비율이 낮기로 스위스, 덴마크, 스웨덴 등 5개 선진국 다음이 우리다. 오죽하면 OECD, 그 보수적인 데서도 한국한테 재정정책 더 적극적으로 쓰고 적자도 좀 더 내도 된다고 권고라 할까? 자린고비 경제학, 무조건 안 쓰는 것이 좋다고 생각하는 것이다.

특히 교육·연구개발에 공공투자를 하면 나중에 더 큰돈이 돼 돌아온다. 충고하고 싶은 내용은 개념 자체를 바꾸자는 것이다. '우리나라 같이 매년 재정 흑자만 내는 나라 없으니 복지를 늘려야 한다. 복지 2배로 늘려도 미국 정도다. 유럽 수준 되려면 3배 이상 늘려야 된다.'

OECD 복지 평균 지출 21% 한국은 10% 좀 넘는 수준 노인 연금 30만 원, 창피한 얘기다. 1970~1980년대 사고에서 못 벗어난 거고 우파에서는 마치 복지가 없는 돈을 쓰는 것처럼 얘기하는데, 그냥 오른쪽 주머닛돈을 왼쪽으로 옮겨 쓰자는 것이다. 어차피 다들 써야 할 돈, 모아서 체계적으로 쓰자는 거다.

좌파도 무상복지라고 하는데 가난한 사람도 부가가치세를 내기에 무상이 아니다. 무상이라니까 우파에서 '가난한 사람들이 공짜만 바란다'라고 비난할 빌미를 준다. 다 같이 사고를 바꿔야 한다. 어느 나라나 진영 논리가 강하기 때문에, 그게 참 비극인데 그래도 지금 문 대통령 아니면 누가 그걸 바꾸겠는가? 그런데 고치지 못하고 정권이 바뀌었다.

올해 세수가 근 60조 원 가까이 부족할 것이라고들 한다. 그러나 그것도 이전 정권에서 세수 호황을 누린 적이 있었다. 초과 세수가 26조 원이 될 것이라고 예상된다. 그 돈이면 일자리 21만개 더 만들 수 있었다는 지적도 나온다. 허리띠 졸라매기를 더는 할 수 없는 이들의 고통은 여전히 뒷전이다.

자린고비 재정으로 소비자에게 돈이 돌지 않는다면 소비자가 없어질 것이다. 아무리 좋은 제품을 많이 생산해서 쌓아 놓으면 무엇하겠는가? 앞으로 이런 상황이라면 기본소득도 자연스러운 것이다. 조물주가 주신 자원을 우리는 순환시키는 것이 경제이다. 모두는 열심히 경영하여 일자리 만들고 일자리에서 번 돈으로 물건 사서 쓰면서 살다가 모두 놓고 갈 곳으로 가는 것이다.

미래의 복지와
기본소득

　우리나라 대기업이 복지에 많은 비용을 써야 하는 이유가 충분하다. 기업주는 명분상 소유는 그룹의 총수이나 실질적으로 기업을 주고 키운 것은 국가와 국민이기 때문이다.

　국가가 준 특혜를 열거해 보기로 한다. 광복 후 일제의 귀속 재산을 13개 기업에게 배분해줄 때 10%의 현금을 내고 15년 분납으로 하였으며 당시 20~30%의 인플레이션 시기여서 엄청난 이득을 취했다. 외화 배정에서의 특혜는 시가의 600원일 때 280으로 1/2~1/4의 환율로 받았다. 100만 달러를 받으면 즉시 3억 2천만 원이 되는 엄청난 이득을 받았다. 1946~1955년 실질금리가 50% 이하까지 내려가게 했다. 경쟁을 제한하여 독점할 수 있게 하기 위해 투자 인가제를 실시하여 막대한 이익을 부여받았다.

　금융자산 배분할 때 외국 차관의 이자가 6%였고 국내의 이자율은 25~30%로 1969년에 3개 그룹에 1억 달러씩 배분하였다. 해외 자금이나 기술 도입에 국가가 보증을 섰다. 수출기업에 세제 혜택과 수입 관세 면세 및 이자율이 낮은 특례 융자를 하였다.

　노동조합을 탄압하여 임금을 억제하였다. 내수를 튼튼히 하기 위해

국산, 국가가 대기업이 성장할 때 국산품 애용으로 외제 사용을 죄악시 하였다.<참고 : 유진수 가난한 집 맏아들 그림책 사랑, 2012>

　간단히 정리하면, 첫째 대기업이 시작할 때 국가가 국가 기업을 거 저 주었다. 둘째, 성장할 때 수많은 사업을 맡기었다. 셋째, 60년대 이 후 우리가 초등학교 시절 온 국민 통장 만들기로 도움을 받았다. 넷째, 그 외에 열거한 막대한 금융지원을 받았다. 가만히 있어도 더욱 부자가 되는 형국이었다. 다섯째, 국방 사업 등 막대한 구매와 세제 혜택을 주 고 있다. 여섯째, 기업의 성장을 위해 노동자들은 저임금으로 봉사하였 다. 일곱째, 강력한 내수가 뒷받침이 되었다. 여덟째, 전 국민이 부가가 치세를 내고 있다. 아홉째, 국민이 낸 의무교육 및 대학의 재정지원 등 으로 양성한 인적자원을 사용하고 있다. 열째, 생산자가 고객과 상생해 야 하기 때문이다.

　<사다리 걷어차기> <개혁의 덫> <나쁜 사마리아인들> <장하준의 경제학 강의> <국가의 역할> 등을 써낸 장하준은 경제는 쉽다고 하며 모두 함께 경제 공부하자고 제안했다. 돈으로 가치를 셈하는 사회이기 에 사회를 민주적으로 운영하고 개인의 권익을 지키기 위해서는 경제 를 알아야 한다는 것이다. 그에 따르면, 경제의 목적은 다 같이 잘 사는 것이고, 복지에 쓰는 것은 투자이다. 가난한 사람도 세금을 내기에 공 짜 복지는 없고, 저렴하고 질 높은 복지는 공공복지라고 한다.
　국가가 기업 경영권을 보장하고, 국가와 기업은 함께 복지에 힘써 야 할 것이다. 아무도 재산을 갖고 저승으로 갈 수 없기 때문이다.

4차 산업혁명

상상이 현실로 바뀌는 기술혁명

4차 산업혁명은 정보통신기술(ICT)이 타산업들과 융합하는 기술혁명이다. 사람의 두뇌를 대체하는 시대를 말한다. ICT를 바탕으로 한 3차 산업혁명의 연장선에 있지만, 기존 산업혁명들과 큰 차이가 있다. 사물과 사물이 서로 통신하고 사람과 사물이 연결되며 더 나아가 교통수단까지 연결 및 결합되는 사회가 만들어진다.

서울 여의도 IFC몰에서 IBM 창립 50주년 인공지능 '왓슨'시연 행사가 있었다. 왓슨은 IBM에서 만든 인공지능 컴퓨터 프로그램의 이름으로 자연어 처리를 통해 영어로 된 인간의 질문을 이해하고 답할 수 있다. 세계경제포럼 미래 고용보고서에 따르면 4차 산업혁명으로 2020년까지 710만 개의 일자리가 사라지고 210만 개의 새로운 일자리가 생긴다.

사라지는 710만 개 일자리 가운데 대부분은 사무직 및 관리 직종이며 컴퓨터, 수학, 건축·엔지니어링 관련 분야 일자리는 늘어날 것으로 전망하였다.

미래에 감소하는 직업은 사무행정직에서 470만 개, 제조업 생산 160만 개, 건설, 채광업 50만 개로 이러한 직업들은 기계로 대체된다. 반면 재무관리 50만 개, 매니지먼트 41만 개, 컴퓨터·수학 40만 개, 건설공학 34만 개, 판매 관련직 30만 개 등의 직종에서는 새로운 일자리가 만들어질 것으로 예상된다.

많은 일자리를 로봇에 빼앗기고 그나마 남아 있는 일자리도 정규직은 아닐 가능성이 높다. 4차 산업이 본격화 되면서 일어나는 사업들은 빅데이터·인공지능(AI)·증강현실(AR)·가상현실(VR), 자율주행, 드론, 3D프린터·공유경제 등이다.

4차 산업이 현실화하면서 기본소득은 현실이 될 것이다. 일자리가 없어서 대부분이 실업 사태를 맞는 시점에서 좋은 물건을 대량 생산해 놓으면 무엇하나? 구매자가 있어야 산업이 유지될 것이 아닌가? 이제 일은 소수의 사람과 AI가 주로 할 것이며 인간은 보다 아름다운 세상에서 질 높은 삶을 살게 될 것이다. 이와 반대로 기본소득을 주지 않는다면 산업이 멈추게 될 것이다. 먹고 살기 어렵게 된다면 폭동이 일어나서 세계는 모두 파괴될 것이다.

새롭게 다가오는 4차 산업혁명 시대에 결국 전 산업 분야에 우리 국가와 기업이 어떻게 대응하느냐에 달려 있다. 세계경제포럼의 클라우드 슈밥 회장은 "제4차 산업혁명이 쓰나미처럼 우리에게 몰려오고 있다. 그것이 우리의 모든 시스템을 바꿀 것"이라고 경고했다. 작년 1월 다보스포럼 이후 세계에서 가장 이슈인 키워드는 단연 4차 산업혁명이다.

이 과정에서 생성되는 수많은 데이터가 클라우드 서버에 저장되고 저장된 데이터는 빅데이터 분석을 기반으로 한 AI를 통해 최적의 의사

결정을 도와주는 선순환 에코 시스템으로 진화한다. 운송, 금융, 의료, 재판 등 많은 분야에서 변화가 예상된다.

　　그러면 앞으로 4차 산업혁명의 포인트는 어떤 제품이나 서비스가 사회의 주류로 급부상하는 시점을 뜻하는데 세계경제포럼에서 발표한 아이템들을 4차 산업혁명의 시대에는 5가지의 경향으로 분류할 수 있다.

　　첫째, 사물인터넷(IoT)이다. 둘째, 우리 몸과 마음을 감지할 수 있는 장치와 정보를 주고받는 관계로 구성된다. 셋째, 운송 수단의 변화로 사람이 운전하던 방식에서 인공지능에 의한 자율주행으로 변할 것으로 예상된다. 넷째, 수년 내 인구 5만 명 이상이 거주하는 도시에 신호등이 없는 도시가 등장한다. 자동차가 주변 사물과 끊임없이 소통하면서 이루어지는 것이다. 다섯째, AI를 통한 스마트한 의사결정이다. 최근의 AI가 무서운 것은 지금까지 컴퓨터와 다르게 습득한 데이터를 활용하여 스스로 학습하고 있기 때문이다. 뉴욕의 암센터는 2015년부터 암 진단과 치료에 왓슨을 적극적으로 활용하고 있다. 현재 대장암·췌장암·방광암은 90% 이상의 진단율을 나타내고 있다. 로봇은 스스로 학습하고 진화하면서 능력을 높여 가고 있다.

　　4차 산업혁명으로 인해 새로운 일회성 고용이 창출될 전망이다. 사람과 사물이 융합돼 나온 데이터를 AI가 분석해 고객에게 최적의 결정을 내려주는 사회의 직장은 상시 고용보다 필요할 때 찾아 쓰는 일회성 고용이 주가 될 것으로 보이기 때문이다. 향후 3년이 그 명암을 좌우할 중요한 기간이다.

상상이 현실로 되어진 4차 산업혁명 시대에는 위에 말한 대로 생활이 편리해진 대신 수없이 많은 일자리가 사라져 할 일이 없어진다. 기본소득으로 생활은 유지하는 데 어려움은 없을 것이다. 힘들게 일하며 휴가를 기다리던 사람이 장기 휴가를 받게 되면 할 일이 없어져서 존재감이 없어진다. 처음 수일 동안은 쉬는 것이 참 좋지만 사는 재미가 점점 없어진다. 왜 사는지 허무함에 빠질 것 같다. 어쨌든 아름다운 미래를 상상해보길 바란다.

교육개혁이 가져올
행복의 나라

판 바꾸기가 필요

현재 한국은 특정 학벌을 가져야 취업 뿐아니라 모든 면에서 특별한 혜택을 받을 수 있게 되어, 지나친 경쟁의 학벌이 형성되었다. 어느 대학에 입학했느냐에 따라서 18세에 운명이 결정되어 평생을 누리며 잘 살 수 있기에 교육 지옥이 만들어졌다. 지나친 경쟁을 유발시킨 것도 역시 박정희 독재의 산물이다. 서울대학교 특별법을 만들어 지나치게 집중적인 투자를 하였기 때문이다. 직장에서도 직원을 선발할 때 실력보다는 어느 학교를 졸업했느냐를 더욱 중요하게 여긴 '학벌 위주의 고용'은 우리나라 교육 문제의 핵심 원인이다.

21년 전 미국 버클리 대학 학생처장이 우리나라를 방문했다. 우리나라의 교육에 훈수를 두러 왔다고 입국 기자회견을 하였다. 출국 기자회견에서는 미국에서는 대학 서열화가 바뀔 수도 있으나 우리나라에서는 '학벌위주의 고용'이 되어 서열화가 바뀔 수가 없어서 훈수가 불가하다고 하였다.

학벌을 강조하는 이런 상황에서 희망은 없고 발전도 없으며 때로

좌절감을 가져온다. 이처럼 철저하게 대학 서열화가 이루어진 나라는 없다. 일본이 학벌이 심하여도 동경대학은 노벨수상자가 없어도 교토 대학은 11개나 수상했다고 한다. 미국이나 유럽 대부분의 대학에서는 본교 출신을 거의 뽑지 않는다. 스탠포드 대학에서는 본교 출신을 1.1%만 뽑을 정도이다. 우리나라는 본교 출신이 다수이다. 그렇게 되어 우리나라는 노벨상 수상이 어렵다. 경쟁을 안 하기 때문이다. 대학에 교수로 한번 취업하면 특별한 범죄를 저지르지 않는 한 정년퇴임 때까지 갈 수 있다. 예외는 있을 수가 있다.

한 대학에 한 학교 출신 교수만 있으면 다양성이 없고 스승을 뛰어넘기가 힘들다. 교수를 뽑을 때도 실력이나 장래성보다는 선발자 자신과 가깝다든지 실력과 무관한 것이 더 크게 작용한다. 실력이 있는 인재들을 도태시킨다. 결국 실력 없는 집단이 만들어진다. 학벌은 대학만 있는 것이 아니고 특정 대학 내에서도 특수 목적고등학교 동문 파벌이 있다. 심지어는 학원가에서도 잘 가르치는 여부와 상관없이 특정 대학 출신을 인정해 준다. 공부 잘하는 학생으로서 공부 못한 아이들의 마음을 읽을 수가 없고 시행착오를 안 해 보아서 오히려 가르치는 방법에 문제가 있을 수가 있다.

학벌 위주의 고용이 비리를 낳는다. 모 대학의 경우는 교수의 96%가 특정대학 출신이었다. 또 충남 대학의 경우 해양 지리학과 교수를 뽑는데 본교 출신은 해양 지리학과 박사학위를 가졌고 특정 대학 출신은 지리학과 전공자였는데 특정 대학 출신인 학과장이 자신의 후배를 뽑아 소송이 붙은 경우가 있었다. 왜 이렇게 뽑았을까? 미래를 보거나 공정하게 뽑았을까? 자신의 이해관계나 자신의 안녕을 위해 후배를 뽑았을까?

지인의 증언이다. 외국에 있는 교수를 자기 학교로 오라고 초청해 놓고 마지막에 인사권자가 돈을 요구했다는 이야기를 듣는다. 국립대학인데도 그렇단다. 한사람에게서 들은 것이 아니다. 그래서 결국 오기를 포기했다고 한다. 이것이 국가와 대학 발전을 위한 일인가? 돈은 어디로 가는 것일까? 이런 이야기와 교수 임용 비리가 심심치 않게 나온다. 모두 알고 있는 비밀이라고 한다. 이러한 사실을 보면 "특정 대학 출신 상한 30%의 교수 임용 쿼터제"가 이루어져서 교수 재임용 시에도 서로의 견제로 돈이 없는 사람이 차별받지 않기를 바란다. 공정한 세상이야말로 희망이 가득한 행복한 나라가 되는 길일 것이다. 더불어 비약적인 학문의 발전도 가져올 수 있다.

의과대학은 입학식 다음 날부터 8교시로 중고등학교보다 공부를 많이 시킨다. 그리고 매년 유급을 시킨다. 상위 200등까지를 선발한 특정 대학에서도 마찬가지로 공부를 심하게 시킨다. 심한 경우는 입학 동기가 졸업을 같이하는 경우가 50% 되는 경우가 있다. 1972년에 특정 대학에서는 200명 중 120명이 유급 명단에 오른 적이 있다. 유신 시절 당시라서 진급 사정회를 열어서 권력자의 아들까지 구제하였다는 후문이 있다.

이렇게 공부시켜도 의사고시 수석합격과 합격률(약 60년 이상의 의사고시 성적)은 기타 대학이 더 높다.

입학할 때의 성적과 졸업할 때의 성적이 현저히 달라질 수 있다.

의사고시를 수석으로 합격한 내 친구와 후배를 보면 의사고시 수석합격자도 특정 대학을 졸업하지 않으면 대학이나 학회에서 존재감이나 실력의 인정은 전혀 없다. 그런데도 취업이나 모든 면에서 특정 대학은 우대를 받는다. 이것은 42.195km의 마라톤 경기에서 10km 이전에서 등수를 정하는 반칙이다.

어디 그뿐인가. 대기업 인사담당자의 말로는 입사원서를 내면 서류심사를 하고 특정 대학을 제외하고는 면접 기회를 받기가 쉽지 않고 지방 출신들은 아예 면접 기회가 없는 경우도 있다고 한다.

오래전 성공시대에 출연한 어떤 기업가가 이런 얘기를 했다. 오랫동안 갖은 노력으로 외국인 구매자와 거래를 하게 되었는데, 자신의 상사가 그 프로젝트를 같은 대학교 출신 후배에게 주고는 '새로운 거래처를 잡아 오라'고 시켰다고 한다. 그 일로 기업가는 회사를 그만두고 나와서 본인의 사업을 하게 되었다는 것이다. 기업가는 연세대학교를 졸업했는데도 동문을 중요시하는 상사 때문에 설움을 많이 당했다고 한다.

국민 대부분은 이 같은 반칙을 문제시하지 않을 뿐 아니라 때로는 수긍하고 당연시한다. 잘못된 것을 고쳐서 공정한 세상에 우리 자녀가 마음껏 기량을 발휘하며 살도록 해야 할 것이다. 하지만 실상은 자신의 자녀만 특혜를 받으려고 수단과 방법을 가리지 않는다. 우리나라의 유치원부터 고등학교까지의 교육은 대학 입시 준비과정 학원이지 배움이 아니다.

교육정책에 관한 진단이 잘못되는 바람에, 정책을 바꾸는 데 많은 생돈을 들이기도 한다. 환자로 생각하면 오른쪽 다리가 곪은 환자가 찾아왔는데 왼쪽 다리 수술을 하는 격이다. 단적인 예로, 38년 전 특수목적고등학교를 세우면서 고교평준화는 끝났다. 그런데도 최근까지 고교평준화를 말하고 있다. 특정 대학교에 입학하기 위한 특수 학원의 형태로 바뀌었다. 설립목적과 달리 운영되면 과감하게 그 제도를 없애야 한다.

교육제도를 바꾸기만 하면 왜 교육비가 많이 드는 결과를 낳는가?

필자는 '교육이 살아야 미래가 있다'는 마음으로 우리나라 교육의 대대적인 변화를 꿈꾸며 '사단법인 희망교육'을 만들어 다양한 활동을 했다.

나는 지옥에 빠진 우리 교육을 건지는 방법으로 '학벌 위주의 고용을 실력 위주로 바꿔야 한다'고 생각한다. 그렇게 하기 위해 지난 1997년 김대중 대통령 후보 진영에 교수임용쿼터제 한(특정) 대학 출신 상한 30%를 제안하고 추진했다. 이후 김대중 대통령이 당선되고, 다시 건의하여 첫 국무회의에서 교육부 장관에게 교수임용쿼터제를 시행하도록 지시하기도 했다. 한 대학에 교수 그룹 네 개 이상이 존재해 서로 경쟁과 견제를 하면 특정 세력이 마음대로 교수를 선발하지 못하고 객관적으로 실력이 있는 사람이 선정될 것이다. 이렇게 되면 교수사회가 다른 분야에 전파되는 속도가 커서 모든 사회가 학벌 위주의 고용에서 실력 위주의 고용으로 바뀔 것이다.

대통령이 직접 명령한 이렇게 유익한 정책도 기득권층의 반발로 교육부 장관이 한 대학 출신 상한 30%를 본교 출신 35%로 말 바꾸기를 하더니, 특정 대학 학장 회의에서 반발하니 느닷없이 본교 출신 50%로 바뀌고 다음 장관이 2/3로 바꾸어 놨다.

그뿐만이 아니다. 당시 국회의원의 43%가 특정 대학 출신이라 교수임용쿼터제가 법으로 충분히 통과될 수가 있었다. 때마침 교원정년을 62세로 단축하는 법안이 나와 한나라당에서 강력히 반대하고 있었다. 기득권 출신 장관은 이것을 이용하여 법안을 분리하지 않고 함께 상정하여 부결되게 만들어 대통령령으로 시행되게 되었다.

'교수임용쿼터제 특정대학 상한 30%'를 신속하게 도입하여 우리 교육의 많은 문제와 사교육의 문제를 해결하고 학문의 발전과 함께 우리나라가 우뚝 설 수있는 기회를 만들기 바란다. 그렇게 된다면 공정한 경쟁을 통해 국내는 물론 멀리 해외에서도 노벨상 수상을 비롯해 수많은 연구업적과 발명품이 나와 경쟁력이 탁월해지고 수많은 일자리가 창출되게 될 것이라고 생각한다. 우리나라 민족은 충분한 원동력을 가지고 있다.

무엇보다 '노력하면 누구나 성공할 수 있다'는 희망을 주어 평등한 경쟁이 늘어날 것이다. 행복지수가 올라가고 경제적으로도 윤택해지며 수많은 부가적 효과가 생길 것이다.

'사단법인 〈희망교육〉'의 발돋움

영어마을에 관한 이야기다.

매년 3조 원 이상 지출해서 우리 자녀들이 해외에서 어학연수를 한다고 한다. 이 과정에서 유혹으로 인한 탈선과 마약 등 많은 부작용이 나타나 영어마을 만들 것을 제안했다. 여기에 경제적으로 어려운 학생들은 어학연수를 할 기회가 없다. 매년 막대한 돈을 투자해서 나쁜 것을 배워 오는 안타까운 현실이다. 국내 영어마을에서 어학 연수하면 매년 3조 원의 국부 유출을 막을 수 있고, 부작용을 없애고 비용이 저렴해서 어려운 학생들에게도 기회가 주어질 수 있다. 방법은 공무원 연수원, 대기업 연수원의 휴관 기간에 저렴한 임대료만으로 가능하고 여행비용(비행기 요금)이 없다.

초·중·고등학교의 원어민교사와 연계하여 실시하면, 영어교육 하나로 부수적인 효과를 거둘 수 있다. 방법은 미국, 영국과 영어권의 국무성을 통해 만 명 이상의 영어학과 또는 영문학과 전공의 교사를 본국에서 받는 봉급의 배를 주고 5년간 계약 선발한다. 특별히 인력 관리를 잘해서 그들이 한국이 제2의 고국이 되도록 한다.

영어 마을 시작으로 얻을 수 있는 효과는 첫째, 양질의 교육을 받을 수 있다. 둘째, 미국과 무역 쿼터가 형성된다. 셋째, 세금을 잘 낸다. 넷째, 윤리적으로 부작용이 없다. 다섯째, 우리의 외교관으로 자리매김할 수 있다. 이 사람들이 본국에 가서 대통령부터 국회의원 기타 요인이 될 수 있어 위험부담이 없고 비용이 안 드는 외교성과로 막대한 국익을 가져온다.

'사단법인 <희망교육>'과 같은 순수하고 진정으로 우리 교육을 위하는 마음이 있었다면 지자체마다 수백억짜리 건물을 짓지 않고 예산을 조금 쓰고도 엄청난 교육성과와 외교적 기반을 이룰 수 있었을 것이다. 공무원 부정에 공소시효를 없애면 나쁜 정책도 현저하게 없어질 것이다.

인성교육을 위해 <희망교육>이 가족과 함께하는 주말 봉사학교를 열었다. 온 가족이 함께 봉사하면 봉사하는 동안 사랑하는 법을 배우는 것이다. 가족공동체가 사랑으로 뜨거워지고 대화의 장이 열린다. 자식은 이런 훌륭한 부모를 존경하고 부모는 대견스러운 자녀를 보며 자랑스럽게 생각하면 말하지 않아도 교육이 된다. 같은 장소에서 봉사하고 오면 공동 관심사에 대해 자연스럽게 대화를 나눌 수 있다. 가족 간에 똑같은 일을 해도 느낌이 다른 것을 이야기하고 다른 봉사를 한 사람은 서로 다른 느낌을 나누게 된다. 어떤 가정은 전혀 이야기할 기회도 이야기할 생각도 없이 살아간다. 이렇게 봉사하다 보면 소통이 잘됨으로 문제가 없어지고 문제가 있어도 자연스럽게 해결이 되어 행복한 가정을 이룰 수 있다. 어려서부터 이웃을 돕는 심성을 가진 더불어 사는 삶을 사는 인격체로 성장하게 된다.

예를 들어 요양원에서 어른들을 돌보거나 청소하는 일을 하다 보면 우리가 모시고 있지 않은 조부모님을 모시므로 어른들을 사랑으로 모시게 된다.

태안 앞바다에 유조선이 침몰해 기름이 온통 덮인 겨울에 버스 한 대로 일찍이 나서 저녁까지 그곳에 가서 해변의 돌을 하나하나 닦았다. 그 추운 날씨에 힘들었다는 말은 없고 모두 기쁜 마음으로 돌아왔다. 특별히 이 봉사의 준비를 위해 애써오신 주은미 간사님이 계시다. 그분은 대학을 입학해서 여수의 할머니 댁에 다녀오다가 영등포역에서 겨울에 철도에 끼어 양다리를 잃으신 분이다. 많이 힘드실 텐데 가장 즐거워한다. 그와 결혼한 혜명교회 정규태 목사와 딸 정하늘, 아들 정한별, 아버지이신 주영택 목사님이 함께 하셨다. 이분들은 봉사가 몸에 배이신 분들이다. 연세가 많으셔도 오히려 앞장서서 모든 일에 임하셨다. 그 외에 봉사단에 함께 한 자녀들이 겪은 태안 앞바다의 봉사는 평생 기쁜 삶을 살게 해주는 촉매제가 될 것이다.

우리나라 전문대학원 제도가 잘못되었다. 왜 전문대학원을 만드는가?

전문대학원에는 의학전문대학원, 치의학전문대학원, 약학전문대학원, 법학전문대학원이 있다. 왜 잘 되어 가고 있는 제도를 고쳐서 교육의 비용이 상상을 초월하게 증폭되고 교육 기간이 오래 걸리는 일을 했는가? 무슨 마음으로 전문대학원을 만들었는지 모두 한번 생각해 보아야 할 것이다.

좋은 교육제도는 양질의 교육을 최소의 비용과 가능한 한 짧은 기간 내에 제공해 주는 것이다. 모든 대학원은 처음 각 대학 교수들과 법조인들이 반대하였다. 그런데 양심적인 일부 교수들을 제외하고 조금 있다가 모두 찬성으로 돌아섰다. 법조인들은 자기 자녀를 법조인으로 만들기가 쉬워졌다. 교수들은 대학원의 교육생이 엄청나게 많아져서 자신들의 값과 보수를 올릴 수 있었다. 더욱 놀라운 것은 대학들에 대학원생이 많이 늘어났다. 대학은 똑같은 교과 과정을 가르쳐 주면서 한 학기당 대학보다 2배의 학비로 엄청난 부를 축적했다.

그나마 다행인 것은 의과대학에서는 반대하고 있었다. 그런데 의학전문대학원 출신의 성적이 의과대학 출신에 비교해 실력이 떨어졌다. 그래서 대부분의 의학전문대학원이 의과대학으로 환원하기에 이르렀다. 그러나 아직 2020년에 신입생을 선발하는 의전원이 4개 대학이 있어 많은 수업료를 받아 수입을 올리고 있다. 교육 당국은 왜 가만히 있는가? 잘못되었으면 빨리 원점으로 되돌려야 할 것이 아닌가? 그런데 왜 4개의 대학을 예외로 인정해 주었을까? 교육부와 대학에 대한 수사가 필요한 것 아닌지?

전문대학원의 문제점은 교육 기간이 연장된다. 교육비가 많이 든다. 대학원 교육기간 동안 학생들은 취업을 못해 수입이 없어진다. 학벌이 하나 더 생긴다. 그뿐인가? 대학을 졸업하고 전문대학원에 입학하기 위해 수많은 학생이 연간 수조 원대의 학원 매출을 올려 주는 역할을 하고 있다. 그 많은 세월은 누가 보상해 주는가? 우리나라 학부모들은 학비로 더욱 압박을 받았고 그것도 경제력이 없는 학생들은 포기할 수밖에 없다. 그러니 대학과 학원 재벌들은 교육부 로비 비용이 아깝지 않다.

법학전문대학원 도입하는 이유는 궤변이었다. 그래서 나는 다양한 자료조사를 하여 법률저널에 기고하였고 여러 일간지에 보도자료를 내었다. 이 내용은 4개월쯤 후에 일간지에서 관심을 가지고 기사화하기 시작하였다. 또 지지 세력의 힘을 얻기 위해 고시원 협회, 원룸협회 등 단체 지도자들을 만나서 설명하였다. 그런데 관심도 없었다. 또 내가 그것으로 국회의원이 될까 염려한 것은 아니었을까? 나는 당시 병원을 개원하고 있었기에 국회의원 공짜로 시켜 주어도 4년 동안 국회의원 직무를 수행하면 병원이 없어지기 때문에 손해다. 법학전문대학원 도입의 취지는 다양한 분야의 전문가들을 유입하여 공정한 재판을 하겠다는 것이었다. 재판이 전문가가 없어서 문제가 아니다. 일본은 변호사가 많아 인터넷 변호사가 있었고 변호사들의 살길이 막막하였다. 그런데 다양한 전문가가 왜 오겠는가? 이때 의료인이 약 50명 정도가 유입되어 있었다. 물론 그 뒤에는 유입이 잘 안 되고 있다. 고시 낭인 때문에 도입했단다. 왜 변호사 시험은 5회로 제한했는가? 사법고시도 3년으로 제한하면 되지 않는가?

4년간 대학 졸업하고 2년 연수받은 법관에 비해서 업무능력이 떨어진다고 법조인들이 말한다. 궤변이 확실하다. 또 어두운 면을 의심하게한다. 법학전문대학원에서도 고시 낭인이 많이 생기기 시작했다.

전문대학원을 빨리 폐지하고 대학으로 환원하라. 영어 마을이 다시 잘 관리 되기를 원한다. '가족과 함께하는 주말 봉사'와 진급 자격제로 사랑이 가득하고 행복한 가정을 이룰 수 있기를 바란다. 장애인에게 평등한 세상을 위해 자폐아 통합교육과, 수화학교가 곳곳에 세워져 수많은 사람이 수화를 할 수 있길 바란다.

보은 차원의 해외 파견 대사와 공무원 해외 연수의 부작용

대사 등 외교부 관리를 파견할 때, 많은 경우 사명감, 해당 나라 전문 지식도 없는 이들을 보은 차원에서 대사로 보낸다. 이런 경우 석두 (돌대가리)를 보내는 것이나 다름없다. 보은으로 관광 보내는 것이 아니라 자국민의 보호와 국익을 증대하기 위한 것이라면 대사는 물론 예하 공무원들은 파견 전에 항상 충분한 교육이 필요하다. 그래서 적극적으로는 주재한 지역의 특성과 필요를 잘 파악해서 그곳 주민의 환심을 사서 장기적인 국익뿐 아니라 기업의 확장에도 기여할 수 있어야 한다.

예를 들면 일본 토요타의 경우 자동차를 팔기 전에 그 지역의 다리를 놓고 기반 시설을 확보해 주기 때문에 될 수 있는 대로 그 회사의 차를 사게 된다. 또 도요타는 일본 국내에서 입지 조건이 좋은 곳의 부동산을 매수하여 엄청난 부를 축적했다. 그러나, 필자가 알기로, 기업의 성공에도 불구하고, 정치인의 부패가 다소간 일본 서민을 가난하게 한다. 우리도 부패정치가 계속되면 우리 국민 소수만을 제외하고 일본 국민처럼 가난하게 될 것이라는 점을 참고로 밝혀 둔다.

외교관이 아닌 공직자도 해외 연수를 명분으로 관광여행을 다닌다. 성실하게 평생을 국민을 위해 봉사했으면 상으로 떳떳하게 '퇴임 공직자 보은 해외여행'이라고 하고 보내면 좋겠다. 괜한 명분을 붙이니 나라 망신의 해외여행이 되기도 한다. 해외여행을 현지 통역-여행안내인 5명의 증언에 따르면, 연수라는 것이 고급패키지 여행을 연상케 한다. 심지어 '연수 주제, 일정 등을 여행사에 일임하고, 보고서까지 대필을 시키는 경우도 있다'고 한다. 현지의 정부 기관조차 "준비 없이 왜 이렇게 자주 오나?"면서 혀를 내두르는 지경이라는 것이다.

네덜란드에서 활동 중인 여행안내인 ○씨는 지난해 헬데를란트주의 한 대학 방문은 지금도 헛웃음이 나올 정도라고 한다. 당시 '미래 전략'을 주제로 연수를 진행하기 위해 네덜란드를 찾은 한 광역시 공무원 10여 명은 이 대학에서 시범 운영 중인 자율주행차를 보기로 돼 있었다. ○씨는 이들을 이끌고 일정대로 예정 시간에 학교를 찾았지만, 무슨 영문인지 자율주행차는 이미 수개월 전 시범 운영을 중단한 상태였다. 이러한 여행을 하려면 사전에 여행사나 공무원 쪽에서 대학 측과 전화와 이메일로 방문 내용을 여러 차례 점검해 확답을 받고, 학교 측에서 이들을 맞이하는 게 상식이다. 여행도 아니고 시찰도 아니고 차라리 알찬 여행을 하는 것이 나을 것이다.

'모범공무원 격려', 선진국 비교 시찰·벤치마킹, 장기근속 연수 등 각종 명분으로 진행되는 공무원 해외 연수(국외여행)가 설계부터 실행, 사후 보고까지 엉망으로 진행되고 있다. 여행사에 모든 것을 위임하는 이른바 '턴키'(Turn key·일괄 수주 계약)방식의 무성의한 준비와 사전 학습 없는 형식적 기관 방문에 이들을 맞이하는 현지 정부 기관조차 혀를 내두르는 현실이다. 독일·영국·스웨덴·네덜란드 등에서 활동 중인 현지 통역, 여행안내원 5명은 이들 공무원 방문단으로부터 수입을 얻고 있으면서도 "국제 망신 없는 제대로 된 연수가 필요하다"라며 목소리를 높였다.

지자체나 국회의원이 실제로 알찬 연수를 하려면 사전에 그 분야의 전문가인 강사를 초빙해서 7일 정도의 사전 교육을 받고 가되 50%는 본인이 부담하고 가야 할 것이다. 투자한 만큼의 성과를 거둘 수 있을 것으로 생각한다.

공무원들의 역량을 끌어올리고 국제 감각을 넓혀 주자는 각종 해외 연수라면 사전 교육을 받고 충분한 계획을 세우고 국가에서 전액을 부담하여 성과를 올리는 방문이 되어야 할 것이다. 지방재정 365에 따르면 공무원 연수에 투입되는 세금(국제화 여비)은 2016년 기준 연간 869억 9,500만 원에 달한다. 해마다 국민참여예산(약 800억 원)에 해당하는 막대한 돈이 투입되고 있음에도 공무원 연수 시스템이 부실하기 짝이 없어 시급한 정비가 필요하다는 지적이다.

이 같은 관행은 일본과 비교해도 대조적인 모습이다. 일본 중앙 부처의 한 공무원은 여행사를 이용하는 것은 오직 비용 절감이 목적이고 항공권 등 교통과 숙박에서 여행사가 더 저렴하게 공급할 수 있을 때만 맡길 수 있으며 그 외 업무는 여행사에 맡기지 않는다고 한다. 북유럽 전문 가이드 ○씨는 "이웃 국가와 대륙으로 연결된 스웨덴은 쓸데없는 국외연수 개념이 아예 없을뿐더러 의원들도 업무 일정을 짤 만큼 공직 사회에서 능동적으로 연수 및 출장 관련 일정을 직접 관리하는 게 일반적"이라고 말했다.

또 문제는 위임받은 여행사 중 일부가 섭외를 부실하게 해 몇 안 되는 공식 방문 일정마저 차질을 빚게 된다는 점이다.

영국 런던의 통역원 ○씨는 "영국의 복지 관련 기관에 연수 일정이 있어 찾아갔지만 알고 보니 여행사 측과 해당 기관의 조율 미비로 섭외가 안 됐다"라며 "당일 갑자기 거절당했고 부랴부랴 유사 기관을 찾아봤지만 결국 실패했다"라고 말했다. 매번 비슷한 주제로 하루가 멀다고 찾다 보니 현지 기관들의 불만도 터져 나온다. 장기간 경력의 독일 안내원 ○씨는 "일주일이 멀다 하고 같은 주제로 서로 다른 지자체와 기관이 동일한 곳을 방문하는 일도 다반사"라고 한다. 독일 정부 기관의 한 홍보팀장은 '개발도상국도 아닌데 왜 한국은 이렇게 연수를 자주 오냐'며 물었고 또 다른 기관에선 '한국은 연수 내용을 공유하지 않는 것 같다'고 해 민망했다고 말했다. 이어 그는 "늘 무료로 브리핑을 해주던 한 독일의 유명 연구기관이 수년 전부터 한국 방문객을 대상으로 수수료 수십만 원을 받기 시작했다"라며 "대놓고 이유를 묻진 못했지만, 인력 낭비라는 생각이 들어 방침을 바꿨다는 소문이 돌았다"라고 설명했다.

퇴임 대통령이 대사를 자원하면 어떻게 될까?

외무부 직원의 정기연수로 실질적인 외무공무원의 기강을 바로 잡고 국익과 해외 주재민에게 도움이 되도록 관리해야 할 것이다. 퇴직공무원 보은 관광, 모범공무원 해외 연수를 현실적이고 감사하는 알찬 여행으로 만들어야 하겠다. 공직자의 해외 연수는 충분한 준비를 하고 검증을 마친 후 행정자치부의 결재를 받고 시행하길 바란다.

국방부의 변신

1961년에는 5·16 군사 정변이 일어나 군정이 시작되었다. 이후 많은 군사법이 제정되어 오늘에 이르렀다.

어느 나라나 마찬가지이지만 군정이 시작되면서 그것을 합리화하고 정권 연장을 위해서 인권 유린이 일어났다. 가짜 간첩이 많이 만들어지고 수많은 죄 없는 국민이 학살당하고 고통이 시작되었다. 독재자들에 의한 만행은 이승만 정권에서 제주 4·3 항쟁, 대전에서 일어난 대학살 사건, 여·순 반란 사건, 일제 치하에서 멸문을 두려워하지 않고 싸워서 나라를 찾고 살아온 임시정부 요인을 비롯한 독립운동가들이 조국에 돌아와 사살되는 아픔을 겪었다. 어디 그뿐이겠는가? 10·26이 없었다면 마산시민은 어떻게 되었을까? 전두환을 비롯한 정권 탈취의 욕구를 채우기 위해 광주 민주화 운동에서 시민들을 일부러 폭력으로 자극하여 그것을 빌미로 집단학살을 자행하는 역사가 이루어졌다.

이런 비극의 역사를 막기 위해서는 직접민주주의가 실현되고 군대는 반드시 국군 통수권자의 명령에 의해서만 이동을 할 수 있어야 하겠다. 국군 통수권자는 이러한 비극의 역사 반복하지 않기 위해서는 외적이 침범하지 않을 때는 국민투표로 찬성이 많을 때만 계엄령을 선포할 수 있도록 한다. 이런 과정 없이 계엄령을 선포하면 반란으로 단죄할 수 있게 한다. 철저한 반성과 독일 같은 청산이 계속되어야 한다.

우선 국민을 괴롭히는 독재는 최고 실력자의 가족까지 희생의 제물이 된다는 것을 알아야 한다. 중앙정보부의 창설자도 그곳에서 고초를 겪었고 그곳의 실력자인 동생의 옆의 방에서 그 형인 최 교수가 죽어 나가고 막강한 실력자들도 희생되었다. 절대 권력은 절대 부패를 낳고 그 권력 밑에서 누구도 예외 없이 희생될 수 있다는 것을 알고 역사로 가르쳐야 할 것이다.

국민의 대표라는 공직자들 가운데 군 의무 면제자들이 많다. 연평도 피격 시에 현장에 나가서 도시락을 폭탄이라고 웃지 못할 코미디를 연출하였다. 이들이 안보를 가장 많이 외치고 안보를 이용하여 당선된 자들이다. 안보를 정치에 이용한 것이다. 그것이 곧 북풍을 이용한 선거이고 가짜 안보였다. 이 같은 가짜 안보는 국민이 정신을 차려서 이용당하지 않아야 한다. 권력자들은 국민을 위한 것처럼 가장하였지 국가적인 문제는 관심이 없다. 광주 민주화운동을 여야가 이용만 한 것 같다. 민주당은 그것으로 공격하였으며, '친일 잔재 세력'(탈바꿈 친미 세력)은 그것으로 편 가르기를 해서 자신들의 당선을 이루는 도구로 삼았다. 어찌 그들을 믿을 수 있겠는가?

광주에 파견된 부대는 조작하지 않고 정확하게 기록이 보존되어 있다. 예를 들면 금남로 5가에서 시민이 죽었다면 거기에 주둔한 부대장이 명령해서 살상했을 것이 아닌가? 그 주둔군 부대장을 살인죄로 처벌하면 혼자 뒤집어쓰지 않고 곧바로 본인에게 명령한 자를 진술하게 될 것이다.

독일, 우리나라뿐 아니라 범세계적으로 반인륜적인 범죄에는 공소 시효가 없다. 언젠가는 진실을 밝혀야 할 것이다. 묻힌 진실을 파서 드러내는 것은 후일을 경계하기 위한 것이다.

헷갈리는 법무부

조국 대 윤석열 간 해괴한 편 가르기가 발생했다. 법무부 장관이 무엇을 하는 직책인지, 검찰총장은 누구의 지시를 따를 것인지의 여부 헷갈리는 상황에 봉착하게 된 것이다.

법무부장관은 법무부의 모든 직원과 업무를 지휘 및 감독한다. 검찰청법 제8조에서 "법무부 장관은 검찰 사무의 최고 감독자로서 일반적으로 검사를 지휘 및 감독한다. 구체적 사건에 대하여는 검찰총장만을 지휘 및 감독한다"라고 규정하고 있다.

반면, 검찰총장은 검찰청과 검찰을 대표하는 직위로서 대검찰청의 각종 사무와 국내 감찰 사무를 통할하며 전국 검사들의 범죄 수사, 기소, 공소 유지, 형 집행을 지휘 및 감독한다.

검찰총장은 검찰 조직상으로 최고 위치에 있으나 법무부 장관의 지휘 및 감독을 받는다. 검찰총장은 검찰총장후보추천위원회의 후보자를 추천받아 법무부 장관의 제청으로 임명하며 국회는 임명에 대한 인사청문회를 실시한다. 한 부서의 무질서로 인하여 국론이 분열되는 불행한 역사를 되풀이하지 않길 바란다.

참고로, 검찰총장의 임기는 2년이지만 역대 21명의 검찰총장 중 임기를 채운 이는 8명이다.

선거관리 위원회와
선거 제도개혁

복지부동의 선관위 관리와 선거 참여율 증가 대책

선거관리 위원회는 복지부동과 감시를 받지 않는 것 같다. 개인 후보의 관리는 조금 되지만 정당의 국고 지원금관리를 잘 살 살피는 기관으로 바뀌기를 바란다.

투표율이 높으면 좋은 인물이 뽑힐 수 있다. 반대로 재. 보궐 선거에서는 15내지 20%의 득표로 당선될 수 있다. 이런 경우 일부 집단들이 동원하여 특정 인물을 당선시킬 수가 있다. 투표율이 높을수록 시민의 정치 참여와 관심을 높일 수 있다. 따라서 모든 선거는 유권자의 2/3 이상이 투표하였을 때 유효한 선거로 인정한다.

대통령 선거는 50% 득표자가 없을 때 상위 2인의 출마자를 놓고 결선 투표하도록 한다.

국회의원, 지자체 단체장, 의원 선거에서 유효투표율에 미달하면 당해 선거에 대표를 선출하지 못하도록 한다.

지자체장은 중앙정부에서 단체장을 파견하여 4년간 대행 체제로 운영하도록 한다.

국회의원, 지자체 의원 4년간 결원으로 유지한다.

국립대학 통합과 기초과학 부흥

독일은 대다수의 국민이 열등의식이 없다고 한다. 여러 가지 평가 지표 없이도 성공적인 교육을 이루고 있다. 반면, 우리나라는 어떤가? 대다수 국민이 열등의식에 쌓여 있다. 이는 대학 서열화 때문이다. 이 것이 국민 의식 속에 깊이 자리 잡고 있기 때문이다. 서열화가 골수에 사무쳐 있는 것이다.

가장 높은 점수로 입학한 수석합격자는 세계적으로 가장 선망이 되 는 학교에 못 들어간 것에 대해 열등의식이 있다. 그것도 미국의 유명 한 대학이 매년 몇천 명, 몇만 명씩 졸업생을 배출한다면 서열화가 상 식화 된 우리는 열등의식을 갖게 된다. 일류 회사 직원이나 최고의 연 구업적을 낸 학자들까지도 위를 보면서 열등의식을 느낀다. 열등의식 도 우리 교육제도에서 습관화된 것이다.

필자의 소견에, 대학을 1차적으로 국립대학을 모두 통합하고 한국 1대학, 2, 3, 4, 5... 대학으로 정하여 기초학을 중점적으로 배우고 연구 하는 대학으로 특성화시켜야 하는 것이 어떨까 싶다.

기초학이 튼튼하지 못하면 국가의 학문과 기술이 발전할 수 없다. 즉 노벨상의 꿈을 꿀 수 없다. 기초학에는 비용이 많이 들고 인기가 없어 국가의 적극적인 지원이 필요하다. 미국의 경우 국가의 기구 즉 국방부에서 연구한 컴퓨터, 초음파, 스마트폰 등의 민간이 할 수 없는 분야에 막대한 비용을 투자하고 그 기술을 민간이 가져다 응용하여 쓰도록 하여 첨단의 산업국가가 된 것이다.

우리나라의 예산 20%만 절감되면 대학까지 무상교육이 가능하다. 국가의 예산이 투입되는 것이므로 자격을 관리해야 한다. 매년 한번의 평가 시험을 쳐서 2회의 미달은 제적을 시킨다. 유럽처럼 졸업시험을 쳐서 합격자에 한하여 졸업을 할 수 있게 한다. 이렇게 하면 실업자가 현저하게 줄어들 것이다. 매년 치르는 국가시험에 불합격할 사람은 아예 대학을 입학하지 않고 실업계로 가서 쉽게 취업하여 자리를 잡을 수 있다. 대학 학업이 불가능한 학생들이 학벌 인플레이션으로 실업자가 되는 것을 막을 수 있다.

우리나라는 예·체능에 재능이 있어도 경제적으로 부자가 아니면 재능을 키울 수가 없다. 훌륭한 강사나 교수 밑에서 한 번에 거액의 레슨비를 내고 장시간 교습을 받아야 합격할 수 있다. 거기에 따라서 합격, 불합격이 결정되기 때문이다. 아무리 가까운 친척이 교수여도 소용없다. 평가의 공정성이 없는 것이다. 그래서 능력과는 무관하게 경제력에 의해서 합격 여부가 정해진다.

이런 부작용을 해결하기 위해 제도적 장치를 마련하는 것도 한 방법이다. 부족한 필자의 소견으로, 대학의 예·체능 입시 심사위원회 설립 법을 만들고, 그에 따라 각 대학교 별로 심사교수팀을 만들어 이름을 제출한 다음, 시험 당일 추첨을 통해서 각 대학으로 배치함으로써, 공정성을 확보하는 것이 어떨까 한다. 더 좋은 다른 방법도 있을 것이다.

통일이 아니라면
남북 교류부터

영세중립화 방안

남북으로 나뉜 상황에서 당장 통일이 어렵다면, 가능한 교류 및 협력 체제를 구축할 필요가 있겠다. 그것은 경제적, 문화적 교류이다. 교류를 통해, 전쟁의 위험을 줄이고, 평화의 소통을 증진할 수 있기 때문이다. 대다수 질곡이 타협의 부재, 불소통, 오해에서 비롯된다.

이미 상호 교류의 시도가 상당한 정도로 궤도에 올랐던 적이 있었다. 2003년 남북출입국사무소를 개소하고 2004년 개성공단 사업단과 남북경제협력 사무소를 신설했다. 이명박 정부가 들어선 이후로 2009년 개성공단 지원사업단이 폐지되고, 2010년 천안함 침몰 사건과 연평도 포격 사건으로 남북 교류가 얼어붙었고 2013년 박근혜 정부가 들어선 이후에도 지속적으로 관계 개선을 이루지 못했다. 더욱이 2016년 북한의 핵실험과 미사일실험 등으로 인해 갈등이 심화되어 결국 양쪽 정부는 남북 교류의 상징적인 개성공단의 폐쇄에 이르렀다. 개성공단을 통한 북한의 민심은 개성공단에 취업하는 것이 꿈이었다. 복지시설이 좋고 보수가 북한의 교수보다 2배 이상 높아서 심정적인 동요를 일으키고 있었다.

거의 단절 상태였던 남북관계는 2017년 문재인 정부가 시작되면서 점차 완화되기 시작하였다. 2018년 1월 1일 김정은 북한 노동당 위원장이 2월에 개최되는 평창동계올림픽에 대표단 파견 용의를 밝힌 후, 1월 9일 통일부 조명균 장관과 북한의 리선권 조국평화통일 위원장이 남북 대표로 고위급 회담을 갖고 군사당국 회담과 교류 협력 활성화 방안을 논의했다 이후 3월 5일, 청와대 국가안보 실장 및 통일부 차관 등의 5명으로 구성된 대북 특별사절단이 특별기편으로 평양에 도착해 3차 남북 정상회담 개최와 북한의 비핵화 의지에 대한 합의를 만들어냈다.

간혹 우리나라 통일부의 큰 실수를 목격하게 된다. 많은 노력을 기울여서 이룬 관계 개선에 찬물을 끼얹는 일을 저지른다. 통일부와 안기부가 탈북민들을 단체로 모시고 온다. 무슨 일을 하든지 항상 상대방의 입장에서 생각하며 행동해야 할 것이다. 단체로 탈북 동포를 모시고 오면 북한에서 좋아하겠는가? 지극히 초보적인 것도 고려하지 않고 단체로 자랑스럽게 공개적으로 모시고 온다. 언론에 공개하지 말고 비밀스럽게 조용히 거두어야 할 것이다. 그리고 무슨 사건이 터지더라도 남북관계 개선을 목적으로 해야지 그것을 정치에 이용하려는 생각은 버려야 한다. 우리나라에서는 큰 사건이 일어나도 무마하기가 쉽다. 어려우면 그것을 북한의 소행으로 결론짓기 때문이다. 또 정국이나 선거가 힘들 때마다 가짜 간첩을 많이 만들어서 수많은 국민의 친인척까지 눈물을 흘리고 자살하게 만든다. 이제는 정부가 집권에만 목표를 세우지 말고 평화로운 나라가 되도록 힘을 기울이길 바란다.

필자는 통일을 원하지만, 교류만 이루어져도 감사한 마음이다. 서로에게 줄 것이 많기 때문이다. 우리는 미워하지 않고 동포애를 나눌 수 있다. 평화를 정착시키므로 세계적인 군사 대국인 남북의 군비를 축소함으로 막대한 예산을 국민에게 쓸 수 있어 모두의 실질 소득을 현저하게 높일 수 있다. 대외무역의 경쟁력을 높일 수 있다. 북한의 희토류를 비롯한 막대한 지하자원이 확보되고 북한의 저렴한 임금으로 기업 경쟁력이 상승한다.

북한으로서는 지하자원의 판로가 열리고 임금 소득으로 경제 활성화를 할 수 있다. 저임금을 받아도 인플레이션이 된 남한 못지않게 윤택한 삶을 누릴 수 있다. 평화가 유지되면 수많은 관광객이 찾아와 관광 대국이 되고 많은 무역상이 찾아와 남북한 모두 무역 흑자를 훨씬 상승시킬 수 있다. 외교적으로 많은 유리한 고지를 차지할 수 있다. 또 대륙간 철도로 화물 운송에 엄청난 효과를 가져올 것이다.

필자 소견으로, 북한이 전쟁을 일으킬 가능성에 대한 염려는 안 해도 될 것 같다. 적어도 이쪽에서 도발하지 않는 한 그러하다. 전쟁이 벌어지면, 어느 쪽에 더 큰 책임이 있는가를 따지는 것은 사실 무의미하다. 손바닥도 마주쳐야 소리가 나는 것이기 때문이다. 해방 이후 6.25 사변 발발 무렵까지의 역사를 기록에 근거하여 천착한 브루스 커밍스에 따르면, 전쟁 발발 전 최전방에서는 소규모 교전이 잦았다고 한다. 이미 준(準)전시에 상황에 들어 있었다는 말이다. 다만 염려스러운 것은 현 정부 들어서서 대통령의 대북 공격적, 도발적 취지의 발언이 전 정부보다 더 증가하면서, 경색 국면으로 접어든 사실이다.

우리의 통일에는 몇 가지 큰 그림을 그리면서 추진해 나아가야 할 것이다. 그 준비과정에서 유의할 점들이 있다. 우선 서로의 존재를 있는 그대로 인정하는 것이 중요하다. 그런 다음 서로 좋은 것, 또 의견 차이가 크지 않는 것부터 우선 추진함으로써, 통일비용을 최소화해야 할 것이다. 문화충돌을 줄이도록 유념하고, 미·중·러, 몽골과의 외교를 이용하여 자연스럽게 연착륙하도록 할 필요가 있겠다. 바로 남한에 있는 탈북 동포 대책부터 마찰이 없이 시행해야 할 것이다. 지금은 사실 탈북 동포를 다소간 극빈자로 내몰고 있는 상황이라 할 수 있다.

필자는 노무현 정권 당시 청와대 기획비서실에 전국민에게 아파트를 지어 주자고 건의한 적이 있다. 그해에 몽골 외무부 장관이 "탈북자를 무제한 받아 주겠다. 그러나 정착은 안된다."라는 성명을 이끌어냈다. 이는 주변국과 외교적 분위기 조성을 위한 것이다.

통일에 미온적인 시민들은 남북협력과 통일이 서로에게 참으로 많은 것을 줄 수 있다는 사실부터 이해하는 것이 좋겠다. 무엇보다 전문가들에 따르면, "남북 상황이 악화되어 휴전선에서 포성이 들리고 조준사격 하면 이곳 남한의 외국 투자가 확 줄고 국제외환 금리가 바로 오른다"고 한다. 또 "외국에서 한국에 돈 빌려줄 때 이자를 확 올리고 이미 빌려준 돈에 대해서도 이자를 올린다"라며 "주가도 떨어지고 저평가되어 국내 투자가 줄어든다. 이것만 해도 훨씬 더 비용이 많이 든다"라고 말했다.

어떠한 이유로도 전쟁을 일으키면 승리하는 쪽도 잿더미가 된다. 그러니 더 포용적이고 성숙한 자세로 문제에 접근할 필요가 있겠다. 미

성숙한 사람처럼 북한이 포탄을 쏘았으니 우리도 쏘면 이것이 전쟁이다. 멀리, 크게 보고, 협상을 통해 협력관계를 만드는 것이 진정한 능력이고 평화를 도모하는 최상수이다.

전 정부 대북정책이 북한에 퍼주기라는 지적에 대해, 일부의 사람들이 왜 사실을 왜곡하는지? 박승 전 한국은행 총재가 쉽게 설명해 주었다. 형제가 있는데 형은 잘살고 동생은 가난하여 술만 마시면 칼을 가지고 와서 형을 협박한다고 가정하자. 동생과 관계를 어떻게 해야 하겠는가? 내가 네게 준 만큼 너도 나에게 달라고 해야 하겠는가? 최소한 동생이 먹을 것을 주고 끌어안아야 하겠는가? 집 안의 평화를 위해 끌어안아야 할 것이다.

북한 지원의 규모는 한 달에 100만 원 버는 형이 600원을 주는 것이다. 퍼준다는 것은 과장이다. 가정의 평화를 위한 최소한의 보험이다. 이렇게 과장하는 것은 우리나라의 평화를 반대하는 자들의 소행으로 생각된다. 현재 북한을 지원하는 규모는 정부와 민간, 유상과 무상 원조를 합해서 금강산 관광 댓가를 제외하고 5억 불(한화 4800억) 정도다. 우리나라 국내총생산의 0.06%에 해당한다. 북한이 우리를 잘 살게 해줄 수는 없지만 못살게 할 수는 있다. 가령 휴전선에서 작은 도발이 있거나 핵실험을 하면 우리 주가가 출렁이고 신용등급이 올라가지 못한다. 현재의 대북 지원은 가정평화를 위한 최소한의 보험이고 지원이라는 것이다.

주지하듯이, 우리나라는 지리적으로 아시아 대륙의 동북 변경에 위치해 있다. 북으로는 중국, 러시아와 국경을 접하고, 동으로는 좁은 해

협을 사이에 두고 일본과 마주하고 있다. 미국은 멀리 있으나, 우리 영토 안에 군사기지를 두고 있다.

주변 각국의 이해관계가 한반도를 중심으로 첨예하게 얽혀있다. 유의할 점은 한반도의 주인은 주변국이 아니라 우리 자신이라는 점이다. 미국과 일본의 입장은 그들 사정이다. 우리가 나아가야 하는 길은 우리가 결정의 주체가 되어 결정해야 한다는 사실을 자각할 필요가 있겠다.

그 길에 나타날 방해(문제)에 대해서는 치밀하게 계산되어야 하고, 가능한 모든 변수에 대책을 준비해야 한다. 미·러 간 패권주의, 미·중간 무역분쟁, 일본의 기회주의 등이 남북 교류에 어떤 변수로 작용할 것인지에 대해 '가상(시뮬레이션)'의 '시나리오'가 준비되어 있어야 한다.

패권주의 틈바구니에 끼여 희생당하지 않고, 전쟁의 위험을 피하기 위해서 가능한 한 평화적 교류를 도모하기 위해 지혜가 필요할 때이다. 일각에서는 남북이 서로의 체재를 인정하는 가운데, 남쪽이 먼저 외교적으로 중립화를 먼저 선언하는 것을 한 방안으로 제시하고 나섰다.

한반도 영세중립화를 지향하는 이들은 국제 정치판의 환경이 바뀌었다는 점에 착안한다. 과거에는 패권주의에 입각하여 군비경쟁을 하던 시대였으나, 이제는 기업이 돈을 버는 것이 우선한다는 점이다. 물론 기업의 세계 진출이 군비경쟁과 완전히 따로 가는 것은 아니지만, 그 틈서리를 비집고 들어가 남북한 교류의 물꼬를 틀 수 있는 여지를 마련할 수가 있다는 것이다. 그 한 가지 방안이 영세중립국으로서의 입지를 다짐으로써, 불필요한 패권 경쟁에 휘말리지 않도록 경계하자는 것이다. 바로 통일이 아니라, 영세중립국화는 자칫 한반도가 다시 세계의 화약고로 화하는 가능성을 원천 봉쇄하는 길이 될 수도 있겠다.

먹이다가 학살해도 된다면
국민은 개돼지인가?

　텔레비전 뉴스를 보면서 다수의 국민이 얼마나 한심한가? 우리나라 두 거대 정당 후보들이 말하는 것을 보면 사리 분별력 없는 말들을 쏟아내는 분들이 어떻게 한 국가의 대통령이 되겠다고 나서고 있는지 의문이 들 때가 있다. 생각해 보면 그들을 추종하는 것 자체가 아직 그들의 추한 민낯을 몰라서일 수도 있다. 과거 역사로 거슬러 올라가, 1979년 10월 16일부터 5일간 박정희 유신독재에 맞서 부산과 마산에 걸쳐 벌어졌던 '부마 민주항쟁'에서도 "마산시민이 얼마나 되나? 쓸어버려." 이러한 명령이 버젓이 내려지고, 1980년 5·18민주화운동 당시에도 광주 도청 옥상에서 공수 특전단이 광주시민을 향해 '앉아 쏴' 자세로 총부리를 겨누는 참극이 벌어지는 처참한 상황……. 이를 두고 선거 때나 정정이 어려울 때마다 종북이다, 간첩 짓이다, 가짜 위조된 사건들을 만들어 국민의 시선을 온통 그쪽으로 쏠리게 하며 18년간 온 국민을 괴롭힌 자들을 '악마'라는 말 외에 달리 표현할 수 있겠는가? 그런 독재자, 학살자들에게 보릿고개를 없애주었다고 영웅이라며 부추기며 경제를 잘 이끌었다고 칭송까지 한다. 그뿐인가 광주학살의 주범으로서 전 국민을 경악의 도가니로 몰아넣었던 5·18 내란수괴 전두환에게도 '경제는 잘했다'고 칭찬한다.

자신의 생명과 재산은
누가 지킬 것인가?

직접민주 정치로 쉽게 하자

자신의 가족이 당하지 않았다고 그런 말을 감히 할 수 있는가? 그런 말을 서슴없이 하는 사람이 소위 지식인, 배운 사람이 맞는가? 그것이 역사에 대한 올바른 평가이고 진정한 말이라고 할 수 있는가? 그런 말을 하는 이들을 상식적이라고 할 수 있는가?

1948년 제주 4·3 항쟁에서도 미군정·국군·경찰이 제주도민을 향해 무차별 살상이 가해지고, 1950년 6월 27일 대전 외곽 1km 거리에 죄 없는 국민을 죽여 묻어 버리고 자기만 살아남으려고 서울의 한강 다리를 일부러 끊어 버리고 도망간 이승만을 여전히 국부라고 하는 멍청이들을 우리는 달리 뭐라 표현해야 하는가? 무식이 아니라 몰상식하다는 표현이 적합한가? 표현할 말이 마땅치 않다.

세계사는 유대인 600만명을 학살한 히틀러(Adolf Hitler, 1889~1945)를 독일 민족을 단결시킨 영웅으로 평가하는가? 피의 숙청 기간(1937~1938) 1년 동안에 100만 명 이상을 처형한 스탈린(Joseph Stalin, 1878~1953)을 어떻게 평가하는가? 노동자들을 위하여 철권통치를 했다고 칭찬해야 하는가? 이들에게도 잘한 것이 한 가지라도 있을 것이다.

그러나 우리나라 정치인이나 일부 몰지각한 사람들처럼 평가하지를 않는다.

한때 지성인이라고 잘못 보았던 모 교수도 노망하셨는지 자기가 싫어하는 후보를 좋게 평가하면서 후보들과 같은 이야기를 하였다. 이런 사리 분별없는 후보들이 대통령이 된다면 우리의 앞날은 어떻게 될 것인가? 평생을 무자비한 일을 자행한 사람이 대통령이 된다면 우리는 얼마나 공포 속에서 살아야 할 것인가? 이 말이 실감이 나질 않겠지만,

필자가 아는 단체의 대표는 검사 앞과 구치소에 갔다 온 이후 사람이 완전히 달라졌다. 기존과 달리 변절한 대표가 되었고, 결국은 여당 국회의원으로 탈바꿈하여 활동했다. 단지 표를 얻기 위해 그런 아부의 말을 했다고 해도 용납되지 않는 행동이다. 이것은 양심을 파는 일이다. 범부로 살아야지, 양심을 팔아 국민의 표를 사려 하는가?

국민투표를 통한 직접 민주정치로 얼마든지 국정을 쉽게 이끌어갈 수 있음에도 그런 말을 한 번도 꺼내지 않은 사람들이 과연 정치할 자격이 있는가? 묻고 싶다. 몰라서 그런 것이겠지, 알았다면 이렇게 국론이 갈리어 분열하고 국민으로부터 비난만 받고 있지 않을 것이다. 무엇이든지 권력의 주인이 최종결정자임을 알고 국민에게 묻자.

하루빨리 국민투표에 대한 보완법을 만들고 국민투표를 적극 활용하자.

우리 인간의 삶에서 정치와 무관한 이 있는가? 아무것도 없다. 우리가 매일 마시는 햇빛, 공기와 물도 정치다. 어떻게 다스렸는가에 따라

햇빛, 공기와 물이 다르다.

　미군이 73년 동안 주둔하던 용산. 그 땅속 깊이 스며 있는 미생물까지 정치와 밀접한 관계가 있다. 이제 용산기지 일부 반환을 앞두고 미군기지를 둘러싼 환경오염, 특히 맹독성 화학물질 기름 유출 사고로 토양오염이 심각한 수준이다. 이뿐인가? 2015년 오산의 미국 공군기지에서 탄저균 누출사건에 이어 2016년부터 부산 8부두에서 미해군은 세균실험실을 차려놓고 맹독성 생화학물질이 나오는 세균실험을 하고 있다. 현재 시민연대에서 굴욕적인 미군기지 반환 협상의 무효화를 외치며, 미국에게 환경오염 정화 비용지불의 요구, 불평등한 한미 SOFA 개정을 주장하고 있다.

　이제 미군이 주둔한 우리 땅, 용산기지를 다시 돌려받는 입장에서 불평등한 협상이 이루어지지 않게 다시 문제점을 꼼꼼히 따져야 할 것이다. 이미 오염된 땅이지만, 불평등한 반환이 되지 않도록 반드시 환경오염 정화 비용을 미국으로부터 받아내어 우리 삶과 지갑(재산)을 지키고 주민 간의 불편을 최소화해서 살기 좋은 공동체를 이루는 역할을 우리 정부가 해내야 할 것이다.

　그래서 정치는 기차를 움직이는 기관차이고, 자동차의 엔진과 배의 키라고 할 수 있다. 여기에서 조직을 움직이는 정치는 윤활유인 주민 간의 사랑과 타인의 입장을 헤아릴 줄 아는 인간성이 가미되면 더 아름다운 세상이 될 것이다. 그리고 정치인들이 아무리 혐오스럽고 부도덕하게 할지라도 정치에 무관심하지 말고 적극적으로 참여해야 세상을 올바르게 바꿀 수 있다. 대부분의 나라는 자국의 이익만을 생각하지 우리나라가 어떻게 되든 상관하지 않는다. 또한 현 집권자들이나 권력을 위임받은 자들이 본래의 사명을 충실하게 수행하고 있지 않는 상황에서는 주권자들인 시민이 직접 정치에 나서는 길이 유일한 정답이다. 국민이 직접 관여하는 직접민주주의 실현이 절실히 요구되는 시점이다.

정치를 멀리하고 무관심한 것이 잘한 일인가?

자신의 생명과 재산은 누가 지킬 것인가? 안타까운 것은 부패집단들이 득실거리는 이 상황이 더럽고 싫다는 이유로 정치를 멀리하는 사람들이 있다. 정치에 무관심하는 것이 마치 고상한 것처럼 착각하고 있다. 그런 분들에게 묻고 싶다. 당신의 생명과 지갑을 맡을 사람인데 그렇게 아무나 선택하고 지갑을 지나가는 아무에게나 맡기겠는가? 이런 분들일수록 누가 자기 돈 천 원이라도 가져갈까 봐 조금도 손해나지 않도록 자신의 잇속 챙기는 데 급급해할 것이다. 그런 사람들은 정치인들이 정치를 잘못하여 우리에게 막대한 손해를 끼쳐도 관심이 없거나 너그럽기까지 하다. 그러면서 이웃 주변 사람이 그런 행동을 하면 바보라고 욕할게 분명하다.

박정희 정권에서 한때 그런 말이 돌았다. '정치는 정치인에게' 이런 몰상식한 말이 어디 있는가? 정치의 기본도 모르는 사람이 만든 말이다. 정치는 다양한 직종의 당사자들이 대표로 출마하여 정치에 참여하는 것이다. 독재자들은 국민이 정치에 무관심한 것을 아주 좋아한다. 그래야 자신들이 온갖 악행을 해도 시끄럽지 않고 마음대로 협잡을 할 수 있기 때문이다. 역사적으로 나라가 망하는 것은 외적에 의해서가 아닌 내부의 적, 부패로부터 망한다. 국운이 기우는 막바지에 외적이 침입하여 완전히 망하고 마는 것이다.

1979년 나라가 망하는 증거를 보았다. 북으로부터 무장공비 3명이 넘어왔다. 무장공비는 전국을 휩쓸고 다녔다. 공비가 나타난 사실이 알려지면 대부대를 보내 포위했다. 포위하고 공비를 향해 장교가 전진을 외치면 사병은 아무도 전진을 안 하는 것이다. 내가 누구를 위해 죽어야 하나? 죽는 것은 개죽음이라는 것이다. 할 수 없어서 소대장 등 초급 간부들이 앞서서 전진해 나가면 공비는 숨어 있다가 정확히 간부들을 저격한 것이다. 그리고 또 다른 곳으로 공비들은 이동했다. 3명을 잡기 위해 장교만 여러 명 희생되었으며 공비 한 사람도 못 잡아 장기간 진압 작전은 계속되었고 우세만 사게 되었다. 이래서 국가가 나를 위해서 해준 것이 무엇이냐, 하는 말이 나오는 것이다. 무방비 상태에서 자국의 군인을 죽음으로 몰고 가는…… 군인들조차 국가를 믿을 수 없었다.

우리가 정치에 무관심하고 정치인들을 욕만 하면 잘못된 정치가 고쳐지는가? 이렇게 방관만 해서 어떻게 정치를 바르게 고치겠다는 것인가? 내가 안 나서고 누가 고쳐 주길 바라는가? 빼앗긴 주권과 정치와 내가 챙겨야 할 돈을 당사자가 나서지 않는데 누가 찾아 주겠는가?

정치는 우리의 생명과 지갑을 관리하는 것이다.
돈을 더 버는 것 못지않게 실질 소득을 올리는 것이 중요하다. 예를 들면 전문대학원을 만들어 막대한 학비, 학원비, 필요 이상의 학업 기간을 소비하게 하고 초중고의 사교육비를 늘리며, 집값을 올려서 실질적인 국민소득을 절반 이하 또는 10분의 1로도 떨어뜨릴 수 있다. 짐바브웨 무가베 대통령이 실예이다. 뼈 빠지게 수고하여 번 돈이 종이쪽처럼 가치가 없어질 수 있다. 이러한 사실을 전혀 모르고 무관심하다.

더욱 중요한 것은 정치를 효율적으로 잘하면 인플레이션이나 필요 없는 제도를 없애고 만들지 않음으로써 실질 소득을 대폭 올릴 수 있다. 이토록 중요한 정치를 내가 하지 않으면 누가 하겠는가? 내 밥그릇을 내가 챙기지 않고 정치인들에게 욕한다고 정치가 바르게 되는가? 자신이 새로운 정당을 만들거나 만드는 사람들을 도와서 기존의 정치 집단과 전혀 다른 정당을 만들어야 한다.

정치는 자신의 생명을 지키는 것이다. 이해 당사자가 무관심하면 누구든, 언제든 생명에 위협을 받을 수 있다.

대표적인 것이 외교의 실패로 전쟁이 일어나 많은 사람이 희생당하고 온 나라가 잿더미로 변하는 것이다.

한 번에 많은 사람이 희생된 세월호 사건과 이태원 참사이다. 세월호도 종일 중계방송하는 동안 모두 구할 수 있었다. 사건이 일어난 후 아무도 책임지지 않고 원인 규명이 되지 않았다.

이태원 참사에서는 대규모의 집회가 예상되었다. 책임자인 구청장은 준비 회의에 참여하지 않았다. 경찰청장이나 서장은 경찰 1개 중대만 배치했거나 시민의 신고에 즉시 대응만 했어도 일어나지 않을 참사이다. 신고했는데도 행자부 장관까지도 몇 시간 후에 나타난 무책임한 정부다. 역시 대통령과 그 누구도 책임지지 않고 벌을 받지 않았다. 국회에서 탄핵한 행자부 장관은 헌법재판소에서 국민의 의사를 무시했다. 독재의 산물인 헌법재판소가 국민을 무시했고 국민의 뜻을 좌절시켰다.

빨리 헌법재판소를 없애고 국민 소환제를 실현하게 만들어야 하겠다. 당사자인 내가 직접 참여하는 새 정치판을 만들어보자. 국민투표를 확고하게 제도화할 후보가 당선되도록 총력을 다하자. 이번 대선에서 거대 여야 중에서 대통령을 뽑아야 되는지 깊이 생각해보자. 나아가 우리들이 후보를 내세우든지, 후보로 나서든지 적극성을 띠어야 할 것이다.

'빨갱이'란 단어의 유래

우리를 괴롭힌 역사의 사건들

불의한 자들이 집권하고 권력기관에 등용된다면 국민의 삶은 짓밟히고 말살된다. 다른 나라의 지배를 받고 살았을 때보다 더 많은 백성이 희생되고 괴로움을 겪었다. 다른 나라의 지배를 받았을 때는 우리가 잘못하지 않았고 깨끗함이 증명되었다. 그런데 불의한 자들이 집권하면서 더 많은 고통을 당할 뿐 아니라 죄짓지 않고 중 죄인의 누명을 뒤집어쓰게 되는 것이다.

왜냐하면 자기들을 정당화시키기 위해 중죄를 뒤집어 씌워 폭도나 반국가적인 사람으로 만들기 때문이다. 여기에 언론까지 가세해서 지속적인 보도를 통해 확인과 각인을 시켜 못을 박는다. 또 탈바꿈 친미 세력과 자기가 태어난 지역의 사람들을 동원해 지역감정을 불러일으키고 사실화시킨다. 그래서 다른 정권이 사실을 밝히고 국가에서 죄를 벗겨 주어도 죄의 굴레에서 벗어날 수가 없다. 죄없이 가족이 죽고 고통받은 것도 억울한데 계속 나쁜 사람으로 낙인찍히면 그 형편이 어떻겠는가?

나(필자)는 1979년 2월부터 1982년 4월 30일까지 군 복무를 하면서 전 방의 야전병원에서 전방의 GOP와 군사 분계선 안의 GP 부대에 순회 진료를 다니면서 분단의 뼈아픈 광경을 눈으로 보며 2년간을 그렇게 지냈다. 크게 부르면 북한군과 아군이 서로 대답하고 간단한 대화를 나누기도 하였다. 수색대가 순찰할 때는 서로 마주치기도 한다. 막히지만 않았다면 양쪽 청년들이 함께 할 수 있었을 텐데. 가까운 곳을 막아 놓고 왕래를 할 수 없다는 것이 때로는 가슴이 답답하고 아려왔다. 이 불의한 자들을 생각하며 주먹을 불끈 쥐다가 앞으로 이것을 어떻게 해결할 것인가? 깊은 생각에 빠졌다.

우리를 조직적으로 괴롭히고 빨갱이라는 신조어를 만들어 정당한 요구를 하는 선량한 시민을 괴롭힌 사건을 살펴보기로 하자. 제주도의 4·3 사건은 제주도의 고립된 섬의 환경에서 일어난 일이라 입소문도 타기가 힘들었다. 1947년 3월 1일부터 1954년 9월 21일까지 제주도에서 발생한 남로당 무장대와 토벌대 간의 무력 충돌과 토벌대의 진압과정에서 다수의 주민들이 희생당한 사건이다. 광복 직후 제주 사회는 6만여 명 귀환인구의 실직 난, 생필품 부족, 콜레라의 창궐, 극심한 흉년 등으로 겹친 악재와 미곡정책의 실패, 일제 경찰의 군정 경찰로의 변신, 군정 관리의 모리(謀利) 행위 등이 큰 사회문제로 부각되었다.

1947년 3월 1일, 3·1절 기념 제주도대회에 참가했던 이들의 시가행진을 구경하던 군중들에게 경찰이 총을 발사함으로써 민간인 6명이 숨지는 사건이 발생했다. 민초가 사냥감인가? 독재자들이 사용하는 상투적인 방법이 민초를 자극을 해서 민중의 봉기가 되도록 만드는 것이다. 서청과 경찰이 선량한 시민이라면 이렇게 무자비하게 고문하고 진압하지 않았을 것이다. 3·1절 기념행사를 하는데 구경 나온 사람이나 민생고가 심함을 알리려는 사람이 무슨 잘못이 있어 발포하고 집단 사살을 한단 말인가? 이에 남로당 제주도당은 조직적인 반경찰 활동을 전개했고, 제주도 전체 직장의 95% 이상이 참여한 대규모 민·관 총파업이 이어졌다. 미군정은 경찰의 발포보다는 남로당의 선동에 비중을 두고 강공정책을 추진했다. 이것들이 사람인가? 우리나라 사람인가?

도지사를 비롯한 군정 수뇌부들을 모두 외지인으로 교체했고 응원경찰과 서북청년회원 등을 대거 제주로 파견해 파업 주모자에 대한 검거 작전을 벌였다. 한 달 만에 500여 명이 체포됐고, 1년 동안 2,500명이 구금됐다. 서북청년회(이하 '서청')는 테러와 횡포를 일삼아 민심을 자극했고, 구금자에 대한 경찰의 고문이 잇따랐다. 1948년 3월 일선 경찰지서에서 세 건의 고문치사 사건이 발생해 제주 사회는 금방 폭발할 것 같은 위기 상황으로 변해갔다.

1948년 4월 3일 새벽 2시. 총성과 함께 한라산 중허리의 오름마다 봉화가 타오르면서 남로당 제주도당이 주도한 무장봉기의 신호탄이 올랐다. 350명의 무장대는 이날 새벽 12개의 경찰지서와 서청 등 우익단체 요인들의 집을 습격했다. 무장대는 경찰과 서청의 탄압중지, 단독선거·단독정부 반대, 통일 정부 수립촉구 등을 슬로건으로 내걸었다.

선량한 국방경비대 제9연대의 김익렬 중령은 경찰·서청과 도민의 갈등으로 발생한 사건에 군이 개입하는 것은 적절치 않다며 귀순 작전을 추진해 4월 말 무장대측 책임자 김달삼과 평화협상을 벌였다. 그러나 대동청년단원이 일으킨 오라리 방화사건으로 평화협상은 결렬되고, 제9연대장은 교체되었다. 미군정은 제20연대장 브라운 대령을 제주에 파견하여 5·10 선거를 추진했다. 대동청년단원들은 누구인가? 서북청년단은 누구인가? 우리나라의 근대사 중에 제일 중요한 사건이 이 사건이다.

5월 10일, 전국 200개 선거구에서 일제히 선거가 실시되었다. 그러나 제주도의 세 개 선거구 가운데 두 개 선거구가 투표수 과반수 미달로 무효 처리됐다. 제주도가 남한에서 유일하게 5·10 선거를 거부한 지역으로 역사에 남게 되었다. 결국 5·10 선거 후 강도 높은 진압 작전이 전개됐다.

이승만 정부는 10월 11일 제주도에 경비사령부를 설치하고 본토의 군 병력을 제주에 증파시켰다. 1948년 10월 17일 제9연대장 송요찬 소령은 해안선으로부터 5㎞ 이상 들어간 중산간 지대를 통행하는 자는 폭도 배로 간주해 총살하겠다는 포고문을 발표했다. 포고령은 소개령으로 이어졌고, 중산간 마을 주민들은 해변마을로 강제 이주됐다.

11월 17일 제주도에 계엄령이 선포된 이후, 중산간 지대는 초토화의 참상을 겪었다. 11월 중순께부터 이듬해 2월까지 약 4개월 동안, 진압군은 중산간 마을에 불을 지르고 주민들을 집단으로 살상했다. 중산간 지대에서 뿐만 아니라 해안마을에 소개한 주민들까지도 무장대에 협조했다는 이유로 희생되었다. 그 결과 목숨을 부지하기 위해 입산하는 피난민이 더욱 늘었고, 추운 겨울을 한라산 속에서 숨어다니다 잡히면 사살되거나 형무소 등지로 보내졌다. 4개월 동안 진행된 토벌대의 초토화 작전으로 중산간 마을 95% 이상이 방화되었고, 마을 자체가 없어진 이른바 '잃어버린 마을'이 수십 개에 이르게 된다. 일제가 물러갔으니 좋아질 것이라고 해방을 기뻐했건만 우리를 더욱 괴롭게 하고 진멸하려고 하는 '탈바꿈 친미 세력들' 경찰, 서북청년단, 대동청년단이 등장한 것이다. 욕심이 가득한 지도자는 국민을 사냥감보다 못하게 취급한 것이다. 괴로움을 당하는 데는 예외가 없었다.

이승만 정부가 국민을 빨갱이로 몰아 30만 명 가까이 학살할 때 서북청년단이 앞장을 섰다고 한다. 제주 4·3 사건을 알아보기 위해서 서북청년단의 결성과 활동했던 시대적 배경, 대동청년단의 활동이 남긴 불행한 유산들에 대해서 살펴보아야만 할 것이다. 해방 이후 지금까지 한국 사회를 분열로 멍들게 하고 수많은 국민을 희생시킨 "빨갱이"란 말은 누가 만든 것인지? 우리 역사를 불행으로 빠뜨린 서북청년단과 대동청년단을 온 국민이 알아야(인터넷 등) 악의 뿌리를 도려내고 우리나라를 새롭게 할 수 있을 것이다. 당시 서북청년단 회원증은 소지한 사람에게 모든 불법에 대한 '사면증'처럼 활용되었다고 한다. 이를 소유한 서북청년단은 그야말로 도살자처럼 미군정과 친일 정부를 반대하는 애국지사들과 국민 모두를 "빨갱이"로 몰아 무자비한 학살을 일삼았다. 이때부터 "빨갱이"란 말이 역사 속에 등장한 것이다. 이때 빨갱이로 한 번 몰리면 죽음을 면치 못했던 시대다. 지금도 빨갱이란 딱지로 희생된 가족이 있는 사람은 그 말만 들어도 피가 거꾸로 역류하는 분노를 가질 것이다. "빨갱이"란 말은 잘못하면 사용한 사람에게 보복이 올 수도 있을 것이다.

4·3 사건을 보면 지극히 자연발생적인 사건인데 좀 더 대화했다면

충분히 설득하여 불행한 역사를 막을 수 있었을 것으로 생각된다. 대화하는 것을 방해하기 위해서 마을을 불살라서 잊혀진 마을로 만들고 평화적으로 협상하려는 사람들을 교체하였다. 아무도 피해를 입지 않고 평화적으로 해결할 수가 있었는데 왜 굳이 폭력적으로 진압했을까? 자기의 욕심을 채우려는 지도자를 세우면 어떤가? 그는 자기의 욕심을 위해 눈이 멀어 목적을 위해서는 누구든지 가해할 수 있고 이 글을 읽는 독자 자신도 예외가 될 수 없다. 나와 내가 사랑하는 내 가족, 내 백성을 구하고 보호하려면 모두 정치에 관심을 가지고 나서야 될 것이다.

두 번째 우리를 가슴 아프게 한 것은 불의한 정권에 도전한 4·19 혁명이다. 4·19 혁명은 1960년 4월에 학생들을 중심으로 일어난 반정부 민주주의 혁명으로 이승만 정권의 3·15 부정선거에 항의하며 민주적 절차에 의한 정권 교체를 요구했다. 혁명이 일어나기 몇 주 전부터 지방 도시에서는 학생들의 시위가 산발적으로 벌어지고 있었으나 이승만 정권은 이에 대해 무지했고, 이러한 정부의 대처에 분노한 학생들은 각 지역에서 모두 합심하여 시위를 벌였다. 이때 대학교수들의 시위는 4·19 혁명을 성공시키는 큰 힘이 되었다. 결정적으로 폭발은 4월 11일 마산데모사건에서 행방불명된 마산 상고의 김주열 학생이 왼쪽 눈에 최류탄이 박힌 처참한 모습으로 마산 앞바다에서 떠오른 일이었다. 이로 인해 이승만은 사임을 발표하게 되었고, 허정의 과도정부가 수립되었다. 4·19 혁명은 이승만에 대항하는 혁명적 시도였다는 점에서 그 의미를 가진다.

4월 혁명, 4·19의거라고도 한다. 4·19 혁명의 직접적인 원인은

1960년 3월 15일 실시된 자유당 정권의 불법·부정 선거였으나, 근본적인 원인은 이승만 정권의 독재와 탄압이었다.

4·19의거와 박정희의 유신 정권에 대항해서 일어났던 부산 마산 항쟁을 보면서 유신독재와 이승만 독재가 겹치는 면이 많다. 자신의 정권 유지를 위해서는 국민에게 어떠한 폭행(희생)이라도 가할 수 있다.

욕심이 끝이 없다. 욕심이 끝이 없는 이유는 불의한 정권이었다는 것이다. 많은 살상과 범죄를 저질렀기에 정권 교체를 두려워했다. 선거에는 지고 개표에서 이긴 선거가 도화선이 되었다. 우리에게 주는 교훈은 독재는 반드시 부패한다. 불의한 정권은 반드시 망한다. 자신의 정권이 망할 뿐 아니고 최고 권력자 자신과 2인자 및 3인자까지와 가족까지도 멸문된다. 독재자의 삶은 끝 없이 불신과 불안이 상존하여 괴로운 인생이다. 국민을 고통에 빠뜨리면 반드시 자신이 되돌려 받게 된다. 이런 아무 이익이 없는 권력을 왜 붙잡으려고 노력하는 것인가?

그때 필자의 아버님도 이런 자유당을 반대하셨다. 무슨 이익을 바라고 하신 것은 아니다. 그런 눈치를 채고 경찰들이 가만히 있을 리가 없다. 우리 집에 나무를 벤 흔적이 있는지? 밀주를 만드는지? 여러 가지를 조사해서 괴로움을 주려고 압박하였다.

4·19가 민중의 승리로 끝나고 총선이 치루어졌다. 총선에서는 자유당이 패배하고 민주당이 승리하였다. 우리 지역에서 아버님이 가마솥에 밥해서 운동원들을 대접하던 민주당의 고기봉 의원이 당선되었다. 4·19 이후에 이제야 나라가 제대로 되는 것 같아 승리했다고 온 국민이 좋아하였다.

이 즐거움이 6개월쯤 되어 민주주의가 혼란 시기를 지나고 자리를 잡으려 할 때 1961년 5월 16일 박정희를 주축으로 하는 쿠테타가 일어나 미완의 혁명이 되고 말았다. 4·19를 생각하면 그때 당시 빨갱이라는 딱지만 붙이면 온 가족과 친척까지 살 수 없는 멸문이 된다. 그래서 온 국민이 두려워서 떨고 있었다. 물을 한번 생각해보자. 소량의 물은 힘도 낼 수 없고 만지는 사람에 의해 아무렇게나 취급받을 수 있다. 물을 철그릇에 넣고 샐 틈이 없이 피스톤으로 압력을 가하면 어떻게 될까? 일정 압력 이상을 가하면 놀랍게도 철기가 터지는 것이다. 바로 이것이다. 물같이 힘없는 국민도 한도 이상 너무 심하게 무력으로 압박을 가하면 압박을 가하는 세력이 폭발해서 멸망하는 것이다.

그것이 전 국민이 일어나는 것이고 촉매제가 되는 것이 참교육을 받은 사람(양심적 지성인)이다.

부마항쟁은 1979년 10월 부산과 경남 마산에서 박정희 정권의 유신체제 철폐를 위해 전개되었던 민주항쟁이다. 1979년 10월 16일 부마항쟁은 부산대학교 학생들의 교내 시위에서 시작되었다. 시위는 부산시와 마산시까지 확산되었으나, 20일 정부의 무력 진압으로 소강되었다. 독재의 탄압이었다. 없어진 것 같으나 국민들의 마음에는 응어리가 져 있는 것이다. 국민들이 탄압에 의해 조용해도 탄압하는 세력 중에도 양심을 조금이라도 가진 사람들이 마산을 피로 진압하면 안된다는 생각을 가지고 도발한 것이다. 그래서 결국 권력자들 간의 내분으로 제일인자와 2인자, 3인자가 희생된 것이 10·26 사태인 것이다. 만약 이렇게 되지 않았다면 마산시민이 엄청나게 많이 희생되었을 것이다. 나는 이때 삽교댐 준공식에서 이상한 연설을 들었다. 대통령연설 끝에 "여러분 안녕히 계십시오" 하였다.

4·19의거와 부마항쟁의 결국을 보면 이승만은 상해 임시정부에서 자금 문제로 탄핵받았고 박정희는 만주 군관학교 출신으로 애국지사들을 잡아 처형하던 사람이었다. 이들 나라와 백성과 나라를 곤란하게 하던 사람들이 어쩌다 대통령 자리가 보여서 미국에 빌붙어서 지도자가 되었고 대통령이 되기 위해 반란하여 대통령이 되었다. 정치 철학이 없고 욕심만 가진 사람들이기에 독재를 한 것이다. 절대 권력은 절대 부패를 낳고 그들은 결국 내부분열과 양심적인 세력에 의해 절대 권력자(제 1-3인자)와 그 가족까지 멸문이 된다. 양심적인 자들이 일어나지 않으면 그만큼 더 많은 국민이 희생되는 것이다.

5·18이 남긴 교훈

나는 내가 성장한 이후에 일어난 5·18 민주화운동에 대해서도 다양한 곳에서 고문과 피해를 당하고 목격한 사람들이 증언해 주어서 비교적 자세히 알 수가 있었다. 서울에서 시작된 학생 데모가 서울대에 집결해있을 때 글라이스틴 미 대사가 직접 와서 "군부가 무자비하게 진압할 것이란 소식을 전하며 해산하도록 하였다."라는 것을 현장에 있었던 내과 선생의 증언을 들었다. 그날 해산하지 않았으면 그곳이 5·18의 광주가 되었을 것이라고 생각된다. 실제 서울 대학에서 무자비한 폭력으로 시위를 촉발시켰다면 전국을 건드린 것이기 때문에 실패했을 수도 있었을 것이다. 어느 지역을 택할 것인가 논의 중 광주를 정했다는(?) 소문도 있었다.

광주에서 시위를 유발시킨 군인들과 대치했던 시민들 중에 필자의 가족도 있었고, 죽을 뻔한 학생 2명을 잘 피신시켜주신 우리 어머니, 광주 공군 비행장을 출퇴근하던 남동생, 아군끼리 교전했을 때 지휘관이던 초등학교 친구, 그때의 고문 피해자, 총을 맞고 수술받았던 사람으로부터 많은 것을 들었다. 같은 병원에서 근무한 외과 임 소령이 5·18때 휴가를 나가서 총에 맞고 군인들에게 부상당한 이들의 수술만 하다가 왔다는 증언도 들었다.

5·18 민주화운동은 1980년 5월 18일부터 27일까지 광주광역시(당시 광주시)와 전라남도 지역의 시민들이 벌인 민주화 운동이다. 5·18 광주민주화운동은 '광주민중항쟁', '광주시민항쟁', '광주항쟁', '광주의거' 등으로 불리우나, 과거에는 신군부와 관변 언론 등에 의해 '광주소요사태', '광주사태', '폭동' 등으로 보도되기도 하였다.

선량한 국민을 폭도라고 부른 전두환 일당은 정권을 차지해서 권력을 마구 휘둘렀다. 재벌들에게 겁을 주어 돈을 빼앗아 천문학적인 지하자금 시장을 만들었다고도 한다. 권력을 누리는 한순간의 성취감이 있었을까? 정권이 국민을 위해 봉사하는 자리인 줄도 모르고 마음껏 휘두르고 높은 자리를 차지한 것으로 알았을 것이다. 그들의 마음은 편했을까? 그들도 이승만과 박정희 정권과 모양은 다르지만 우리를 괴롭게하는 집단이었고 전철을 밟게 된 것이다.

계엄을 선포하여 시민을 탄압하여 정권을 잡기 위한 빌미를 얻기위해 곤봉으로 머리를 구타하고 대검으로 찌르고 엎드려 놓고 머리를 짓밟았다. 학생같이 생긴 젊은이들이나 심지어 임신부를 찌르는 등 가리지 않고 반인륜적인 인간으로서는 할 수 없는 잔학한 범죄를 저질러서 시위를 촉발시켰다. 제주 4·3 사건과 같이 국민을 살상하기 위해 의도된 죄를 저지른 것이었다. 그들의 계획에 의해서 진압하고 전두환이 대통령에 오르는 목적을 이룬 것이다.

1993년 문민정부 출범 이후 광주민주화운동의 진압 방법에 대한 법적 논란이 제기되었다. 1994년 5월 13일 정동년 등 광주민주화운동의 관련자들은 전두환·노태우 등 35명을 내란 및 내란 목적 살인 혐의로 고소하였으나 1995년 7월 18일 검찰은 "5·18 관련자들에 공소권이 없으므로 불기소 처분을 내린다."라고 말하였다. 양심을 가진 검사들이라면 이런 불기소 처분을 내릴 수 있었겠는가?

그러나 5·18 특별법을 제정하라는 요구가 있고 노태우(盧泰愚) 전 대통령이 11월 16일 비자금 관련 사건으로 구속되면서 11월 24일 김영삼 대통령은 민주자유당에 "5·18 특별법을 제정하라"는 지시를 내렸다. 김영삼은 국민들의 요구에 '역사 바로 세우기'라는 구호로 부응했던 것이다.

11월 30일 검찰은 12·12 사건과 5·18 사건 특별수사본부를 구성하고 재수사에 착수하였으며 전두환도 반란수괴 등의 혐의로 12월 3일 구속 수감되었다. 12월 19일 5·18 특별법이 국회를 통과하였으며, 1996년 1년 내내 전두환·노태우 피고인에 대한 12·12 사건 및 5·18 사건, 비자금 사건 관련 공판이 진행되었다.

재판의 과정에서 전두환은 제5공화국 정부는 합헌 정부로서 내란 정부로 단죄하는 것은 부당하다고 주장하였으며, 노태우는 이 사건이 사법처리의 대상이 되지 않는다고 주장하였다. 이에 재판부가 1997년 4월 17일 12·12 사건은 군사 반란이며 5·17 사건과 5·18 사건은 내란 및 내란 목적의 살인 행위였다고 단정하였다.

12·12 사건에서만도 그들이 말하는 주적인 북한에게 전방의 문을

열어 두고 군대를 이끌고 위수권을 빠져나온 것은 사형에 해당한다. 맥아더 장군은 전쟁에 진 장수는 용서할 수 있으나 경계에 실패한 장수는 사형에 처하였다고 한다.

1996년 12월 16일 항소심에서 전두환은 무기징역, 벌금 2205억 원 추징을, 노태우는 징역 15년에 벌금 2626억 원 추징이 선고되었고, 1997년 4월 17일의 상고심에서 위 형량이 확정되었으나 김대중 후보의 대통령 당선에 즈음해 1997년 12월 22일 특별사면으로 석방되었다.

용서는 중요한 것이나 그들이 죄를 인정하지도 않고 반성하지도 않은 상황에서 용서한 것을 국민은 어떻게 생각할까?

5·18 광주민주화운동은 제주 4·3 항쟁과 4·19 의거와 함께 수많은 시민이 희생된 1950년 6·25 전쟁 이후 가장 많은 사상자를 낸 정치적 비극이었으며, 한국의 민주화 과정에 있어 가장 큰 사건의 하나였다고 할 수 있다. 광주민주화운동을 계기로 한국의 사회운동은 1970년대 지식인 중심의 반독재민주화운동에서 1980년대 민중운동으로의 변화를 가져왔다. 집권세력에 대항해 최초로 무력 항쟁을 전개하였다고는 하지만 1970년대 저항 운동의 수준과 한계에서 크게 벗어난 것은 아니었다.

광주민주화운동은 쿠테타 반란세력의 자극에 의하여 뚜렷한 지도부와 이념적 프로그램이 없는 상태에서 일어난 비조직적 군중의 자연발생적인 방어적이고 대중적인 저항이었다. 이 점에서 1970년대식 반독재 시민운동과 같은 것이라고 할 것이다.

1988년 여름 대한민국 국회에 설치된 5·18 광주민주화운동 특별조사위원회가 윌리엄 글라이스턴 당시 주한미국대사와 전 한미 연합사령관 존 위컴 장군의 증언을 요구하자 미 국무부는 그들의 증언을 거부하는 대신 광주특위의 서면 질문에 국무부가 동의하는 것으로 정리하였다.

　　또한 한국 계엄사가 광주에 동원한 특전사나 20사단이 광주에 동원된 것을 사전에 알고도 그들이 광주에서 행한 것에 대하여 미국은 책임이 없다고 주장하였다. 광주 민주화 운동의 전말을 보면 작전 지휘권을 가지고 있는 미국은 자국의 이익에만 치중하고 인권 문제에 관심을 보이지 않았음을 천하에 드러낸 결과가 되었다. 자국의 이익을 위해서 반란 세력을 용인한 미국이 영원한 우방이기를 바란다.

　　우리는 역사적인 사건을 접하면서 과거의 사건을 돌이킬 수는 없지만 중요한 것은 앞으로 이런 역사를 되풀이하지 않기 위한 교육이 필요한 것이다.

　　광주민주화운동 기념관 뿐 아니라 4·3 제주항쟁, 4·19 혁명, 60항쟁의 기념관을 각 도시에 세워서 역사교육의 산실로 만들어야 하겠다. 외국의 학자가 보고 다음 사항을 지적한 내용이다. 첫째 유대인은 유럽 곳곳에 추모관을 세우고 집단학살 책임자들을 응징하고 교육하는 것을 거울삼아야 한다라고 했다. 그 학자가 거기 방문한 20, 30대에서 아이들까지 문답한 결과 5·18 민주화운동이 무엇인지도 모르더라는 것이다. 외국에 알려진 4천5백 명과는 달리 기록되어 있다고 하며 과학적이고 객관적인 기록이 필요하다. 기념관이 한 곳에만 설립되어 있다.

다른 나라와 달리 집권자들의 관심이 적은 것 같다. 학교와 선생님들이 교육하지 않는다. 가장 사람들이 많이 찾는 공휴일에 개방과 안내인을 배치해야 한다고 지적하였다.

　독일을 비롯한 국제적인 관례대로 반인륜적인 범죄는 공소시효가 없다. 따라서 우리의 문민 정권들은 시민이 사살된 곳의 지휘관을 살인죄로 처벌하면 철저히 규명될 것이다. 그 후에 국민의 합의하에 쿠테타의 수괴들을 철저하게 응징하든 용서할 수 있었음에도 역사바로세우기에 성공했는가? 의학이나 사회병리의 무엇보다도 중요한 것은 예방이다. 예방하면 희생자를 최소화하고 국민의 삶이 편안해질 것이다. 나와 무관하다고 예방에 협조하지 않으면 절대 권력자도 희생에 예외가 없듯이 독자 자신이 희생될 수 있음을 각인해야 할 것이다.

나만 잘살려는 생각을
버리면 바꿀 수 있다.

나만 잘살려는 이기주의는
일제와 독재정권의 잔재

　필자는 제주 4·3 항쟁 때도 나쁜 사람들을 죽였다고 생각하고 있었다. 그렇게 배웠기 때문이다. 부마 항쟁이 있었을 때도 언론에 보도를 금지하여 구전으로 알릴 수밖에 없다. 광주에서도 많은 사람이 아는 것 같지만 광주시민 중에도 다수가 무서워서 가족들이 나가지 못하였기 때문에 모른다. 광주 청문회 이후에 보도를 통해서 접하기 때문에 잘 알지 못한다. 독재자들이 10년 이상을 통제하고 악한 소문을 내어 왔기에 대다수의 답답한 사람들은 세뇌가 된 것이다.

　그런데다가 독재의 부스러기들이 간혹 엉뚱한 연구 결과를 발표하고 거짓 뉴스를 뿌리기 때문에 그렇다. 그런데다가 불의한 자들이 위기 탈출용으로 국민을 편 가르기 했기 때문이다. 그러니 어리석은 자들은 마치 자기가 독재자인 것처럼 착각하여 변명하고 상대방을 비방한다. 그래서 독재의 잔재를 씻어내기가 참으로 힘들다.

　내가 안 나서면 누가 내 형편을 알 것인가? 밥을 굶어도 말하지 않으면 남이 모른다. 거기에 더하여 나 한 사람이 한다고 되겠느냐는 패배 의식이 큰 문제다. 거꾸로 생각하면 한사람에 한 사람이 더하여지면 5000만이 되는 것이다.

나만 살려 하면 모두 죽고 모두 죽으려 하면 모두 산다. 내가 나서면 모두가 산다. 악을 행하는 이들은 누구든지 누구라도 죽일 수 있고, 그 피해는 예외 없이 언제든지 내게 올 수 있다. 피해의 당사자가 되지 않으려면 적극적으로 나서는 것이다. 인생은 빛과 어두움이 있을 뿐 중립은 없다. 칠흑같이 깜깜한 공간에 조그마한 촛불만 나타나도 어두움은 물러간다.

앞에서 소개한 아마존의 불개미떼가 모두 죽으려는 마음으로 한 마리씩 붙어서 떳목이 되어 강을 건너듯 하면 될 것으로 생각된다.

노조가 없어도 복지가 잘 되고
기업인과 부자가 존경 받는 세상

투명 경영 기업인이 정치자금
안 내도 되는 나라로

헌법 제34조 제1항 '모든 국민은 인간다운 생활을 할 권리를 가진다' 제2항 '국가는 사회보장, 사회복지 증진에 노력할 의무를 가진다' 이다. 기업을 지키고 일으킨 노동자는 보호되어야만 한다. 이제는 과거처럼 노사가 다투는 일은 없어야 한다. 규정을 만들고 그대로 시행하면 모두 해결이다. 노동자와 경영자에 대한 개념 자체가 바뀌어야 한다. 둘은 동전의 앞, 뒷면으로 생각하자.

당신은 기업을 왜 하는가? 기업을 잘 경영하여 기업인이 존경받는 사회가 되어야 된다. 사업해서 남 주나? 그렇다. 남 주는 일이 되어야 한다. 기업의 목적이 기업을 잘 경영하여 일자리를 많이 만들어서 그곳에서 일하는 수많은 직원의 가족이 보장된 생활을 할 수 있게 만드는 것이다. 그리고 더 많이 모여지면 그 돈을 사회를 위하여 헌납하여 사회적으로 어려운 이웃을 돌보는 데 쓰기 위한 것이다. 과거와 사업을 하는 목적이 완전히 달라졌기 때문이다.

왜 사업 목적이 달라졌을까? 재미있는 유머가 있다. 얼마 전 이건희 회장이 세상을 떠나서 저승에 갔다. 거기에서 정주영 회장을 만났다.

정주영 회장이 "이건희 회장, 내가 급히 오느라고 노잣돈을 못 가져왔는데 천 원만 빌려주게." 이건희 회장이 하는 말 "정 회장님, 저도 한 푼도 못 가져왔습니다." 이제 세상을 떠날 때 돈 한 푼, 집 한 채 가져가지 못한다는 사실을 배웠기 때문이란다. 기업을 한다는 것이 얼마나 좋은 일인가? 존경받을 만한 일이 아닌가? 과거처럼 국가의 재산을 도둑질한다든지 편법을 써서 감옥에 드나들 필요가 없는 것이다.

과거에는 기업하는 목적이 편법을 써서라도 조금이라도 더 부유해지길 바라는 것이었고 경영권을 지키기 위해서 부정을 저지르는 것이었다. 또 '차떼기'정당이란 말이 있듯이 구정치인들이 압력을 가해 돈을 빼앗고 그 대가로 특혜를 주었기 때문이다. 현재 거대 여 야당은 사실이 아니길 바란다. 기초의원 공천도 억대의 공천헌금을 받는 것이 나만 모르고 모두 다 아는 비밀이라고 한다. 깨끗한 당이 공천헌금 안 받고 선거비용을 안 쓰고 선거하면 정치인이 기업인에게 손을 벌릴 필요가 없고 정경유착이란 말이 없어질 것이다. 기업인이 감옥에 갈 일이 없어진다. 기업인이 상속으로 인한 상속세 문제로 경영권을 지킬 수 없어 외국으로 경영권이 넘어갈 우려가 있을 때는 '기업보호금'제도를 두어 국가에서 주식을 사서 경영권을 보호해주는 방법을 쓰면 어떨까?

이제 기업인이 존경받게 될 시대가 왔다. 그 어떤 사람도 이 세상을 떠날 때에 돈 한 푼, 집 한 채 가져갈 수 없음을 알았기 때문이다. 이제 대기업은 국민에게 빚을 갚을 차례가 왔다. 미국의 재벌 빌 게이츠는 자신의 사업보다 사회사업에 더욱 열심을 내고 있다. 워런 버핏은 그런 빌 게이츠를 보고 거기에 재산의 85%를 기증하기로 하였다. 록펠러의 동업자였던 세브란스는 우리나라에 대한 선교 보고를 한 선교사의 말을 듣고 우리나라의 전 국민이 치료받을 수 있도록 세브란스 병원을 짓고 자신의 주치의까지 보내왔다. 여러 나라에 학교를 짓고 사회사업에 쓰도록 하고 집 한 채도 남김없이 세상을 떠났다. 카네기도 전 재산을 기증하고 떠났다. 이 얼마나 아름답고 존경받을 일인가?

이제 대기업의 기업주가 완전히 달라졌길 바란다. 정치자금을 줄 필요가 없어졌고 기업은 국가에서 경영권을 지켜주니 안심할 수 있기 때문이다.

이제는 기업은 그동안에 진 빚을 갚고 노동자를 보호해야 할 이유가 있다. 인간이나 생명체에서 가장 중요한 것은 생명 보호다. 이들은 사회적으로 취약 계층이고 사망사고를 가장 많이 당한다. 통계로 보면 노동자의 산재 사망사고는 2020년 882명, 2021년 828명, 업종별로 보면 건설업 458명→417명, 제조업 201→184명, 기타업종 223→227명으로 많은 수의 사망사고가 일어났다.

이들은 보상을 제대로 받지 못하는 경우가 많다. 매일 매일 벌어서 먹고 사는데 갑자기 가장이 사고를 당하면 4인 가족 생계가 어렵고 대책이 없다. 무슨 일이든지 예방이 제일 중요하다. 예방은 먼저 생명을 보존할 수 있다. 산재가 급격히 감소함으로 인해 산재에 쓰일 재원을 직원 복지에 쓸 수 있게 된다.

예방하는 방법은 하청 내지는 하도급을 없애야 한다. 하청이 없으면 공사비 착취가 없어지고 부실공사를 막을 수 있다. 공사에 하자가 생길 때 책임 소재가 분명하여 어렵게 집을 마련한 서민들이 보호받을 수 있고 분쟁이 사라질 수 있다. 대기업에서 모두 정규직으로 채용하는 것이다. 그러면 관리 감독이 철저해지고 정규직으로 보호받을 많은 보호장치가 생기게 된다.

이제 대기업은 모든 국민에게 진 빚을 갚을 수 있게 되었다. 그동안에는 정치자금을 비롯하여 대기업의 수입에서 떼어먹는 사람들이 많았다. 기업을 지키기가 항상 불안하였다. 이제는 정치자금이 필요 없고 기업의 경영권을 보장하니 안심하고 오직 진 빚만 갚으면 된다.

기업이 얼마나 불안했던가에 대해서는 다수의 국민이 알고 있다. 유한양행의 경영에서 보면 자유당과 박정희 정권에서 노골적으로 정치자금을 요구했고 거부하자 세무조사 등 갖가지 압박을 가했으나 깨끗한 회계와 직원 복지로 버텼다. 정부에서 이기지 못하고 오히려 상을 주는 상황에 이르게 되었다.

기업이 국민에게 빚진 것은 무엇인가? 필자가 어렸을 적에 전 국민이 통장 만들기를 했다. 그 기금을 장기저리 거의 무이자로 융자하여 기업에 투자하였다. 대한 석유공사, 석탄공사 등 공기업을 거저 가져갈 수 있다고 하였다. 노동자들이 저임금으로 몸 바쳐서 열심히 일하여 회사가 성장할 수 있었다. 잔업수당을 받아 가며 제품을 생산해 내었고 수없는 산재를 당하면서 당시에는 아무 보상도 없었다. 국가에서 막대한 연구발전기금(R&D 자금)을 지원받았다. 기업이 부지를 선정할 때 토지를 막대한 자금력을 동원해 저렴하게 강제 수용하듯 취할 수 있었다. 그리고 나자 땅값이 만 배까지도 올랐다. 도로 등 기반시설을 정부에서 해주었다. 중소기업이 어렵게 키워온 회사를 납품을 받으면서 무리하게 성장시키는 바람에 부채 감당이 어려우면 헐값에 쉽게 사들이는 방법으로 그룹을 키워갔다. 중소기업의 특허를 사겠다고 자료제출을 하게 하여 장시간 검토하면서 약간 변형된 특허를 내어 전 재산을 바쳐 만든 특허가 무용지물이 되게 하기도 한다.

필자의 고등학교 동창이 서울대학에 지문 인식 연구용역을 맡겨서 몇 년간 이루지 못했다고 하여 아주대학의 김영길 교수에게 연결시켜 빠른 시간내에 개발을 완성하고 판매하는 과정에서 있었던 일이다. 그 친구는 자금이 고갈되어 빚을 갚지 못해서 경제 사범으로 감옥 생활을 했다는 후문이다.

어디 이런 사람이 한, 둘이겠는가? 국산품 애용이라는 명분으로 내수를 증대시켜 기업이 성장했다. 국민이 소비자로서 간접세인 부가가치세를 납부한 것이다.

투명한 기업 경영

헌법 제119조 제2항, '국가는 균형 있는 국민경제의 성장 및 발전 안정과 적정한 소득의 분배를 유지하고 시장의 지배와 경제력의 남용을 방지하며 경제주체 간의 조화를 통한 경제의 민주화를 위하여 경제에 관한 규제와 조정을 할 수 있다'고 한다.

필자는 경제 민주화를 위한 최선의 정책이 정직과 투명이라고 여긴다. 기업도 깨끗한 경영과 직원들의 복지와 사회에 대한 복지 전 직원의 주식 분배로 모두가 주인이 되는 것이다. 그동안 우리의 기업은 회장부터 말단 직원까지 월급 외의 것에 관심을 가졌다. 월급 외의 것은 계약된 대로 내 것이 아니다. 달리 말하면 부수입을 올리는 데 혈안이 되어 있었다. 그 결과 회사가 적자인데도 보너스를 받는 회괴한 일이 벌어지고 있는 것이다. 이렇게 하고도 나라가 망하지 않는 것이 이상하다. 이상하게 나라가 망하지 않는 것이 바로 서민에게 가야 할 것을 은행이나 여러 곳에서 가로채기 때문이다.

정당하게 부를 쌓은 사람에게는 문제가 없다. 그러나 뇌물과 정부의 정보를 빼내거나 부동산 투자로 부당하게 축재한 사람들 때문에 부의 양극화가 이루어졌다. 그래서 부자는 일을 안 해도 재산이 늘어나고 세계은행 치하나 코로나 정국같이 국가적으로 어려움을 당하면 더욱 부유해진다.

서민들은 열심히 돈을 벌어도 자꾸 가난해져서 빈민으로 전락하는 상황이 되었다. 가난해지는 것도 가슴 아픈데 상대적인 박탈감까지 겹쳐서 감당하기가 어렵다.

이 결과 1997년 말 국가부도로 세계은행의 지배하에 들어가게 되었고 기업은 1000~1500% 빚을 져서 많은 좋은 기업이 외국에 헐값으로 팔리게 되고 수많은 직장인이 명예퇴직 또는 해고되는 아픔을 겪었다. 정규직이 임시직으로 많이 바뀌게 되었다. 이때 온 국민이 금모으기와 우리의 세금으로 기업의 부채를 갚아 주었다. 그러나 얼마 지나지 않아 공기업을 시작으로 부채가 쌓이기 시작하였다. 참고로 이때에 부자들은 금괴가 많아도 내어놓지 않았으나 우리같이 순진한 서민들은 돌반지까지 내어놓아 금이 없다.

그동안 기업 임원들은 고임금에다 철밥통이었다. 한 예로 은행 직원 임금을 보자면, 한국은행 직원 2445명(총재 1명, 금통위원 5명, 부총재 1명, 감사 1명부총재보 5명), 한국산업은행 직원 3055명(은행장1명, 이사1명, 감사 1명)이다. 한국은행의 1인당 평균연봉액 9906만4천 원, 산업은행 1억1199만9천 원, 남자 1억 2828만8천 원, 여성 8321만2천 원, 신입직원의 초임의 연봉이 한국은행 4656만8천 원, 기업은행 5011만7천 원, 한국은행총재 3억5천7백만 원(기본급 2억9690만 원, 복리후생 70만 원, 성과상여금 5940만 원), 금통위원 3억2790만 원, 감사 3억1360만 원, 부총재보 2억6500만 원, 산업은행장 3억887만5천 원(기본급1억9613원, 성과상여금1억9266만4천 원), 상임위원 3억2668만 원이다.

부실경영과 임원 중심의 편의적 기업 경영을 막고 직원들과 주주들에게 안정적인 배분이 돌아가기 위해 대책이 필요하다. 이것을 해결하는 방법으로 기업경영 원칙을 법으로 마련해야 되는 것이다.

　대기업이 경영이 아니라 부동산 투기를 통해 얻는 이득도 상상을 초월한다. 입지를 선정하면 과거에는 1000원 하던 땅이 500만 원으로 오른다. 기관이 유치되는 경우도 10000원짜리가 500만 원, 1천만 원이 되는 것이다. 그러기 때문에 사전에 정보를 알면 5천 배, 5백 배의 부자가 된다. 그러니 부동산 투기를 안 하는 사람이나 못 하는 사람이 바보다. 권력의 힘이나 재벌은 융자를 얻어서 사놓으면 회사를 운영하지 않고 주변 땅만 사놓았다가 되팔면 엄청난 차익을 얻을 수 있다.

　해결 방법은 우리는 우리가 생산하지 않는 것은 사고팔 수 없게 해야 한다. 우리가 공기를 팔 수 없다. 그러나 공기정화기는 팔 수 있다. 태양은 팔 수 없으나, 태양 열전기는 팔 수 있다. 토지는 사고팔 수 없게 하고 필요한 사람이나 회사가 사용권만 갖게 하는 것이다. 아파트는 원가 공개를 하고 LH를 긴축 운영해서 원가로 공급하고 임대주택을 대량 짓는다. 이것을 공공주도로 재개발을 하면 될 것이다. 평야에 아파트 부지를 마련하는 것은 개발이 아니고 망조를 앞당기는 일이다. 그렇지 않아도 식량 무기화가 미래의 큰 관심사가 되고 있다. 이런시점에 식량을 생산할 땅을 더욱 축소하는 것이 바람직한 일인가?

　세계은행의 지배하에서 공기업의 모든 빚을 우리의 세금으로 해결해 주었다. 그러나 지금 기업은 곧 자본금의 100내지 1000%의 빚을

졌을 뿐 아니라 적자가 난 기업도 보너스 잔치를 한다.

필자는 노사가 공동 감시하에 기업이 흑자가 났을 때 봉급을 올리거나 수당을 받게 하고 적자가 났을 때는 감봉하는 방법을 제안한다. 흑자가 났을 때 25%는 부채상환, 25%는 재투자를 통해 기업을 지킨다. 25%는 직원의 봉급에, 25%는 주주에게 돌려서 기업을 발전시키는데 사용하면 어떨까?

여전히 홀대받는 다수 여성과
노동자의 한숨

근로기준법 제6조
(균등한 처우)에 대한 숙고

대한민국 헌법 제11조는 국민의 기본권으로서 평등권을 명시하여, "모든 국민은 법 앞에 평등하다. 누구든지 성별·종교 또는 사회적 신분에 의하여 정치적·경제적·사회적·문화적 생활의 모든 영역에 있어서 차별을 받지 아니한다"고 한다. 각종 차별의 문제는 이렇게 기본권의 문제로 다뤄진다. 이런 헌법의 이념을 각 개별법에서 구체적으로 실현하고 있는데, '근로관계'에서의 성차별에 대해서는 근로기준법과 남녀고용평등법 등에서 정하고 있다.

먼저 근로기준법 제6조(균등한 처우)에서는 남녀 균등대우의 원칙을 정하고 있다. 다음은 집안일과 아내와 어머니 역할을 하는 여성들이 왜 남성과 균등한 대우를 받아야 하는가, 그 문제점을 짚어보기 위한 사례를 담아 보았다.

필자는 가정과 이웃을 위해 헌신적인 사랑을 쏟는 옛날의 두 여인을 보고 여성은 귀하며 보호받아야 하고 남성과 동등한 처우를 받아야 한다는 것을 절실하게 느끼고 개선하려고 시도하고 있다. 나는 몸이 부서지도록 많은 일을 하는 종손 며느리인 어머님을 많이 보고 도우며 어린 시절을 보냈다. 1년 365일을 4~5시간 잠을 자며 잠자는 시간을 제외하곤 일을 해야만 하는 어머니를 안타깝게 생각하며 살았다.

다른 가족들은 잠을 자는 동안 밤에도 일하는 어머님이 불평등하다고 생각했다. 종일 가족의 생존을 위해 아침 식사부터 점심은 손님 대접이며 저녁이면 술을 좋아하시는 시아버님의 저녁 시중까지 들어야 하는 어머님의 고달픔을 어찌 헤아리랴. 그것도 난청이신 시아버지의 귀까지 되어 하나하나 뉴스를 전하신다.

며칠씩 쉬고 가시는 손님이 사계절 자주 오신다. 우리는 아무것도 모르고 그저 더 계시다가 가시라고 한다. 저녁에는 삯바느질로 동네 사람의 옷을 만드는 것이다. 발로 돌리는 틀이 없어서 쭈그려 앉아서 손으로 틀을 돌리신다. 앞에는 배고파하는 동생들에게 젖을 물리며 바느질을 하시는 어머니의 틀 돌리는 일을 돕는 것이 즐거움이다. 옷을 하나 만들어주면 하루씩 일을 해주는 것이다. 농사철에는 30명 이상의 식사를 대접한다.

제사가 많아서 밤 12시 이후까지 제사를 지내야 한다. 모두 여성의 몫이다. 우리 어머니를 보고 여성의 어려움을 많이 생각해왔다. 임신 때에는 부른 배를 아랑곳하지 않고 분만할 시간까지 일하신다. 최근에는 치매가 있으신 아버님께서 눈물을 흘리면서 내가 당신을 너무 고생시켰다고 하신다. 그도 그럴 것이 아버님은 우리가 모를 심어도 동네 사람들의 문제가 있으면 광주지방법원 순천 지원에 가서 종일 일을 보신다.

필자는 신혼생활부터 우리 생활이 안정된 후에도 마지막까지 일만

하다가 간 아내를 생각하며 가슴을 친다. 전공의 시절 어려운 가정 경제를 책임지고 종손 며느리 역할 하느라 피아노 레슨하고 집에 와서 집안 살림하고 온 얼굴에 기미가 가득한 얼굴이었다. 신혼 초 한 저녁 낙성대에 바람을 쐬러 갔을 때, 필자가 손수건을 깔고 아내를 앉혔을 때, 그 간단한 몸짓에도 기뻐하던 아내가 아니던가.

우리 경제가 어려워도 우리 지역의 학생들에게 장학금을 주자고 했을 때 선뜻 응하였다. 우리 어머님의 삶을 그대로 행하던 아내, 어려운 사람이 눈 속에 분실한 결혼자금 전체를 찾아 준 아내, 시장에서 노점상이 팔리지 않으면 필요 없는 나물과 채소를 사 오던 아내에게서 많은 것을 배우고 느꼈다. 우리를 괴롭히던 사람이 아파도 소꼬리를 사다가 고아 먹으라고 하던 아내에게 어떻게 사례할까? 집안일이 끝나면 병원에 와서 일하고 내가 해외 봉사 가면 병원 지키고 있는 아내. 안정된 이후에도 평범한 부부들이 누리는 여행도 제대로 못하고 살만하니까 하나님의 부르심을 받았으니 어찌하랴.

필자는 어머님과 아내를 보면서 여성과 약자들의 어려움을 보고 어떻게 해결할 방법을 생각해왔다. 처음에는 자세히 모르고 일하는 시간과 양에 대해서 불평등하다고만 생각해왔다. 어머님은 다른 사람보다 많은 가사 노동으로 자녀들을 돌볼 시간이 없었다. 육아는 우리 누나와 나의 몫이었다. 현대에서는 직장생활을 하면서 어머니와 아내의 역할을 하는 여성들을 보면서 내가 힘이 있다면 잘 지켜야겠다는 결심을 했다.

여성은 임신할 때 10개월 동안 힘든 생활을 했고 분만의 고통과 심한 체력 소모와 거룩한 회복의 과정을 거치면서 최소한 3년의 육아 휴직과 봉급은 국가에서 100%, 대기업은 기업에서 100% 지급하여야 할 것이다. 출산 장려금은 별도로 지급해야 할 것이다. 남성이 육아를 할 때도 3년은 같은 봉급을 지급해야 할 것이다. 육아 휴직 때도 경력으로 보장받아야 한다. 승진은 부장 이상으로 40% 이상을 승진시켜야 될 것이다.

어린이 인구가 급감하면서 서울에서마저 학교가 점점 없어지는 추세이다. 이 학교들만 활용해도 엄청난 수의 어린이집을 만들 수 있다. 정부는 새로 학교를 지을 생각을 하지 말고 기존의 있는 건물을 활용하면 많은 어린이를 수용할 수 있다. 교육비는 물론 대학까지 무상이다.

가정마다 상황이 다르겠지만 우리의 사랑하는 딸과 아내와 자매들이 얼마나 힘이 드는지 관찰해야 하겠다. 어떤 문제를 해결해야 이들의 마음과 육체를 편하게 해주고 기쁘게 해줄 것인가? 여성 보호는 그 자체로서 취약계층의 남성 노동자와 우리 사회 전체를 위한 것이기도 하다. 그들이 내 어머니, 내 아내, 내 딸이기 때문이다.

장애인이여, 우리 함께 손 맞잡고 나아가자!

장애인복지법, 장애인차별금지법 등이 있다. 장애인의 90%가 후천적 장애인이다. 누가 언제 장애인이 될지 알 수 없다. 그래서 장애인이 나와 내 가족임을 명심하면 우리가 함부로 하거나 소홀히 할 수 없을 것이다. 많이 개선되었지만 좀 더 법적으로 보호받도록 제도를 보완하고 현재 있는 법이 잘 시행될 수 있도록 시행령을 잘 갖추어야 할 것이다.

장애인 의무 고용을 예를 들면 위반했을 때 고용하는 것이 범칙금을 내는 것보다 훨씬 이익이 되도록 범칙금을 많이 부담하게 해야 할 것이다.

사단법인 희망교육은 장애인과 비장애인이란 말을 처음 만들어낸 단체이다. 이 말에는 여러 가지 의미가 포함되어 있다. 정상인인 나를 생각하기 전에 장애인을 먼저 생각하자는 의미이다.

장애인이 평등해야 한다. 장애인의 일상생활이 정상인과 같이 불편이 없도록 하는 것이 평등이다. 길을 갈 때 도로가 편해야 된다. 도로가 평평하고 신호를 구분할 수 있어야 된다. 엘리베이터나 계단을 오를 때 불편함이 없어야 한다. 일상생활이나 교육을 받을 때 의사소통이 잘되어야 한다. 다른 선진국에서는 편견이 없이 고용 등에 차별을 두지 않고 시설과 사회구조가 편리하게 되어 있다. 우리나라도 국민소득을 자랑하는 만큼 장애인들이 살기가 편한 사회가 되어야 할 것이다. 그렇다면 장애인이 살기 편한 사회가 되기 위해선 어떤 구체적 일들을 실천해야 할 것인가. 다음 세 가지로 집약해서 실천해보았던 사례를 싣는다.

첫째, 장애학생과 비장애 학생의 통합 야외 학습을 실시했다. 여러 해 전에 고용노동부에 공모하여 사회적기업으로 장애학생과 비장애학생의 통합 야외 학습을 실시해 본 적 있다. 매우 쉽지 않은 일이며 이 일에 돈 수억이 들었다. 당시 사업을 시작하자마자 사스가 유행해서 수입 제로에 20여 명의 봉급을 계속 주게 되어 사업을 중단할 수도 없게 되었다. 또 직원 간사 한 명이 규정을 잘 몰라서 인턴을 먼저 뽑아 이것도 제 호주머니에서 100% 봉급을 주어야 되는 상황이다. 참으로 책임을 지는 사람이 없어서 곤란을 겪었다. 개인적으로 월급을 주는 것이어서 매달 무척 힘이 들었다. 6개월 후에는 다시 연기하여 인원을 감원한 상태로 다시 신청을 하여 소액의 수입으로 적자를 내면서 실시했다. 또 간사가 많은 월급을 받다가 퇴사한 것으로 서류를 변조하여 실업급여를 받아서 벌금까지 물어내는 안타까운 일이 생겼다. 관리자도 책임을 지지 않고 이사장 개인이 모두 변상하였다.

두 번째, 수화학교를 열었다.

장애인들이 어디서나 정상인처럼 생활할 수 있게 수화학교를 열어 대화가 잘 통할 수 있도록 수화를 가르쳤다. 수화를 할 수 있는 사람이 많아서 어디 가든지 소통에 문제가 없게 하려 했던 것이다. 강사는 김복순 농인 선생님이 자원봉사를 해주셨다. 무엇 하나 쉬운 일이 없었다. 성림교회에서 매주 교육을 시켰으나 수화 통역사가 봉급이 많지 않고 교육하는 곳이 많아서 성공적이지 못했다. 김 선생님의 부군이며 농아인이신 임규현 목사님은 수화 영상 교재와 수화 영상 성경을 만들어서 농아인들이 자유로운 소통을 하고 성경을 쉽게 접근할 수 있게 만드신 위대한 분이다. 이 일을 위해 장애인 부모와 자폐아인 동생을 살피며 수고한 작은 성자 임지선이 큰 역할을 했다.

세 번째, 자폐아 통합교육을 위한 보조교사 예산을 확보했다. 자폐아를 치료하는 프로그램이다. 통합교육을 위한 일대일 보조교사 배치를 위한 국가 예산을 책정하기 위해 인천에서 국민일보 정창교 기자가 인천시와 함께 실시한 모델을 배워서 계획을 세우고 세종문화회관에서 국회의원을 초청해서 공청회를 열어 국가의 자폐아 통합교육을 위한 교사확보 교육예산에 210억 원의 막대한 예산을 확보했다. 안타깝게도 국회의원들이 무지하여 주인 없는 예산이라고 0으로 만들었다. 할 수 없이 고 김영술 대표(당시 여당 사무부총장)가 노력해 노무현 대통령 시절 청와대 예산으로 국가 60억 지자체 120억을 확보했다. 뜻하지 않는 일이 일어났다. 장애인을 위한 일이니까 협조해주거나 장애인 보호자들이 적극 나서야 마땅할 것이다.

정반대의 일이 일어난 것이다. 장애인 단체끼리 공과 싸움과 서로 가져가려는 다툼이 일어났다. 자폐아 먼저 1년간 집행하고 그 다음에 다른 장애인으로 확대했다면 장애인을 위한 많은 예산을 편성하게 되었을 것이다. 물바가지 서로 차지하려다 쏟아 버리듯 장애인 활동 보조인 예산으로 바뀌어 목적을 이루지 못하였다.

이런 상황을 보고 김 대표와 나는 일찍 포기하고 손을 떼었다. 장애인 단체들이 양보하고 지혜롭게 했으면 좋았을 것이다. 자신들이 하였다고 공과를 나타내기 위해 급기야 사)희망교육까지 해하려 하여 우리는 그 사업에서 손을 떼었다.

앞서 세 가지 사례를 통해 관찰하면 결국 장애학생과 비장애학생과의 간격을 좁히고자 실시한 야외 학습, 수화학교, 자폐아 통합교육을 위한 보조교사 예산 등의 비용확보 등은 적자에 허덕이며 성공하지 못했다. 그 노력에 비해 적은 실적으로 성과는 참담했다. 그러나 따지고 보면 정직하게 봉사하는 국회의원 한 명이 1달 정도 열심히 연구하고 법을 만들고 예산 편성을 하면 사) 희망교육이 지금까지 한 일보다 많은 일을 이루고 이런 힘겨운 일의 비용도 적게 소요되었을 것이다. 그래서 정치가 참으로 중요하다.

세금은 이렇게 하자.

국가나 지방 자치단체가 필요한 경비를 충당하기 위해서 국민으로 부터 거두어들이는 돈이다.

세금은 능력대로 내어서 전 국민이 나누어 쓰는 의미가 있다. 따라서 국가의 세금이 투명하게 쓰이면 모두가 기쁨으로 납부하게 된다. 미국의 경우는 빌게이츠를 비롯한 재벌들이 우리들이 세금을 더 내게 하라고 했다. 우리나라는 어떤가? 재벌들은 꼼수를 써서 한 푼이라도 덜내려고 안간 힘을 쓴다. 반면에 월급을 받는 분들은 갑근세로 100%, 일반 시민들은 부가가치세로 탈세 없이 모두 납부한다. 그래서 재벌의 대다수가 감옥살이하는 안타까운 경험을 하였다.

이런 불상사가 생긴 것은 첫째, 세금이 투명하게 쓰이지 않음이 원인이다. 둘째 적당주의 즉 뒷거래를 하면 세금을 엄청나게 감액받기 때문이다.

세금 납부율과 현금 정리 비율이 우리나라에서 가장 돈이 많은 강남구 와 서초구가 가장 낮다. 다시 말해서 세금을 떼어먹는 사람들이 재력이 있는 사람들이다. 이들이 가장 해외여행이 많다.

따라서 공직자들의 비리를 막고 투명한 국가 재정을 운영해야 할 것이다. 세금과 의료 보험료를 함께 묶어서 납부하도록 하며 탈세나 의료 보험료 미납자는 출국 금지하면 100% 납부가 가능할 것이다.

의사로서의 필자의 직분

의사의 진단과 단호한 치료

필자는 오랫동안 나라 걱정하며 살았다. 1992년 우루과이라운드 협정 이후부터 적극적으로 많은 토론회와 자료를 통하여 연구하며, 다소간 실제로 사회운동을 실천을 해왔다.

필자의 직업은 의사이다. 의사가 된 배경은 제각기 다르다. 자신이 병을 많이 앓아서 의사의 혜택을 많이 받았거나, 부모나 가족이 병들어서 고통을 겪는 것을 보고 의사가 되어 도와야 하겠다는 마음을 먹은 이도 있을 것이다. 아니면, 보수가 상대적으로 많아서 돈을 많이 벌 수 있다는 생각을 가진 이도 상당수 있을 것이다.

그 목적 여하를 막론하고, 의사가 되려면 최단기 코스가 15년이다. 의대 6년, 전공의 5년, 군대 39개월, 요즈음은 펠로우 과정을 만들어서 다시 2-3년간 더 연수를 받는다.

그동안 환자를 질병의 고통에서 구하고 생명을 연장하려면 실력을 쌓아야 한다. 나름 교수나 선배들의 말과 행동을 보면서 놓치지 않고 배우려고 한다. 이 두 가지는 누가 보아도 선한 목적이다. 아무리 악질이고 중한 죄인이라 할지라도 선한 목적을 가지고 15년간을 매 순간 반복하여 생각하고 행동하면 교화되지 않겠는가?

나는 전공의 때 같은 년차 선생이 환자로부터 간염이 전염되어 극심한 간염으로 2달간 입원하였을 때 2사람이 할 파트를 혼자 맡아서 회진을 두 번, 24시간 응급실, 중환자실과 모든 병실의 환자를 돌아보는 당직을 격일로 했다. 2일에 한 번 5시간씩 잠을 잤다. 야간에는 중환자실에서 네 건의 심폐소생술을 하고, 시간이 모자라거나 피곤하다고 아침, 저녁, 점심 발표회에서 예외란 있을 수가 없다. 영화나 드라마보다 훨씬 비인간적인 대우를 받으며 살았다. 오직 이것은 새로운 세상으로 가는 터널이라고 생각하면서 살아왔다.

　또 내과 의사는 사람 전체를 진료하는 과목이다. 환자에게 묻고 또 물으며 자세히 문진하고 가능성이 있을 수 있는 모든 진찰과 검사를 꼼꼼히 하면서 진단을 한다. 이렇게 진지하게 진단 과정을 거치고 진단이 나오면 순식간에 치료의 행위를 해야 한다. 언제 어떤 일이 생길지 모르는 상황이다. 우리 병원에 엘리베이터를 타고 올라오던 환자가 엘리베이터 안에서 뇌출혈로 의식을 잃고 문이 열리는 순간 쓰러지는데 사무장이 보고 쫓아가서 붙잡아 처치실로 옮겨 이승호 원장이 의식이 없는 환자의 입에서 토물을 빼내고 입을 그 환자의 입에 대어 인공호흡을 하고 기관에 삽관해서 종합병원의 응급실로 옮겨서 치료받도록 해주고 본인은 택시를 타고 돌아온다. 이것은 모두 무료이고 남아있는 환자는 다른 의사(필자)가 맡아서 진료한다. 혼자 개원한 의사는 모든 환자를 버려두고 응급실로 향한다.
　한 번은 앞 환자의 진찰이 끝나고 다음 환자에게 물어보려는 순간 비만인 환자가 심장 마비를 일으켰다. 사무장과 나는 환자를 어렵게 처치실로 옮겨 심폐소생술을 해서 간신히 살아났다. 피곤해서 왔다는 환자가 점점 혈압이 떨어지며 심장 마비가 온다. 별거 아닌 듯 걸어온 환자가 피검사 결과 심각한 진단을 받게 된다. 보호자와 함께 검사 결과를 기다리는 중 간호사가 소리 지르며 쫓아가서 붙들어서 위기를 모면하고 종합병원으로 보내졌다. 천식이 심한 환자를 교과서대로 치료해도 효과가 없어서 구급차로 모시고 가면서 마음을 졸이는 것이 내과 의사인 필자의 형편이다.

지면상 다 열거할 수 없지만 수많은 위기가 와서 의사의 인생을 외줄 타기 인생, 지뢰밭 인생이라 한다. 매 순간이 기적이다. 이러한 내과 의사는 이럴 때마다 전능자가 되어야만 한다. 어찌 의사가 하나님이겠는가? 이러한 의사인 나의 생명은 환자의 생명이 같이 걸려있는 것이다. 이런 것이 의사로서 이 글을 쓰는 필자의 마음임을 독자에게 양해 구한다.

현재 민생을 괴롭게 하는 이들이 재판에 찌든 법관, 부족한 수사 인력으로 수사하는 검찰과, 경찰, 금방 퇴임한 법관들을 고용하여 강력한 힘을 발휘하는 대형 로펌 즉 거대 법률사무소의 변호사, 자기 업무를 인지하지 못하는 국무총리로부터 행정자치부, 교육부, 보건복지부, 환경부 등 정부 각 부처의 장·차관과 공무원들이다. 이것은 특정 직책을 지칭하는 것이다.

과거로부터 맥을 이어온 뿌리는 '친일 탈바꿈 친미 세력'과 자유당

정권으로부터 정권에 있었던 수구 세력들이다. 이들은 자신의 권력과 소유하고 있는 모든 것을 지키려는 세력이다.

권력의 야망이 큰 이승만은 미국에서 주로 있었기에 국내 지지 세력이 전혀 없었는데 이는 매우 취약한 조건이 된다. 그렇기에 이승만은 자신의 권력의 야망을 성취하려 해방 후에 불안했던 친일파 세력의 안전을 보장해주고 척결해야 할 대상을 활용해서 자신을 지지해주는 기반으로 만들었다. 친일파들은 이승만을 지지해주는 조건으로 이승만과 미군정으로부터 군인과 경찰, 행정의 고위직에 등용되었다.

해방을 통해서 일장기 자리에 성조기가 걸렸고 친일파들은 탈바꿈 친미로 계속 떵떵거리며 살게 되었다. 심지어 독립운동가들이 경찰에 모욕을 당하고 뺨을 맞으며 고문까지 당하다가 숨지는 일이 일어나고 테러로 암살까지 이뤄지는 일들이 발생되었으니 국민 누구도 찬성할 수 없었다. 점점 불만과 저항의 기운이 커졌다.

친일파들이 청산되기는 커녕 고위직 군경에 등용되어 날뛰는 때에 계속 사고가 발생하고 있다. 앞의 역사적인 사건처럼 광주에서와 똑같이 여기에 무슨 공산당이 개입해서 이런, 저런..., 사악한 짓들을 저질렀다며 그 책임을 죽임당한 자들에게 돌려보낸다. 이 못된 짓 들을 옹호하려는 일부 세력들이 여전히 존재하고 있다. 이런 주장들은 역사적 사실을 감추고 왜곡해서 이승만과 '탈바꿈 친미파'들이 학살을 정당화고 책임을 피하려는 술책이다. 사람이면 누구나 그런 것을 보고서 가만히 있겠는가? 그래서 경찰서를 습격하는 일도 벌어지게 된 것이다. 이것을 빌미로 역사의 진실을 왜곡하는 일이다.

우리의 쉬운 것을 어렵게 만드는 원인은 자신의 직책이 무엇이며 무엇을 어떻게 해야 하는지 모르기 때문이다. 문제를 일으키는 대부분이 공무원이다. 해결 방법은 직책의 정체성을 교육하는 것이다. 공무원이면 주권자인 국민(시민)으로부터 고용되어 봉사하며 봉사에 대한 댓가로 봉급을 받는 것이다. 이런 논리라면 자신은 부끄러움 없이 봉급을 받을 수 있는지 자문해보아야 할 것이다.

의사가 진료하는 것이나 세상을 진단하고 정치하는 것은 같다. 정확한 진단을 내려야 좋은 처방이 나오는 것이다. 사회 병리도 병이 걸리기 전에 예방하는 것이 비용이 적게 들고 건강한 사회를 만들기가 쉽다. 부정이 생긴 다음에 처벌하면 당사자와 그들의 가족까지 상처가 생긴다.

미리 예방하는 것이 국정운영의 비용이 적게 들고 효율적으로 되어 온 국민을 행복하게 할 것이다. 아예 부정을 시도하는 것 자체가 불가능하게 만드는 것이다.